400 QUESTIONS • 400 RÉPONSES

400 QUESTIONS • 400 RÉPONSES

400 QUESTIONS • 400 RÉPONSES

Suite des questions à la fin du livre

400 QUESTIONS
400 RÉPONSES
à tout

ISBN 2-7192-0991-0
Édition originale 0-7063-6212-8,
Ward Lock Limited, Londres.

Édition originale publiée en Grande-Bretagne
par Ward Lock Limited, 82 Gower Street,
London, WC1 E 6EQ, 1982, sous le titre :
HOW WHY WHEN WHERE, conçue et produite
par Grisewood & Demsey Limited,
20-22 Great Titchfield St, London, W1.
© Grisewood & Dempsey Limited, 1982.
Tous droits réservés.

© 1984, 1985 Éditions des Deux Coqs d'Or, Paris,
pour l'adaptation en langue française.

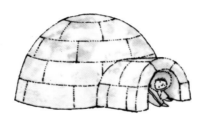

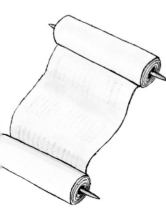

400 QUESTIONS 400 RÉPONSES à tout

Belind Hollyer
Jennifer Justice
John Paton

Illustrations
Colin et Moira Maclean

Adaptation française
Christine de Cherisey

DEUX COQS D'OR

L'HISTOIRE
ET
LA PRÉHISTOIRE

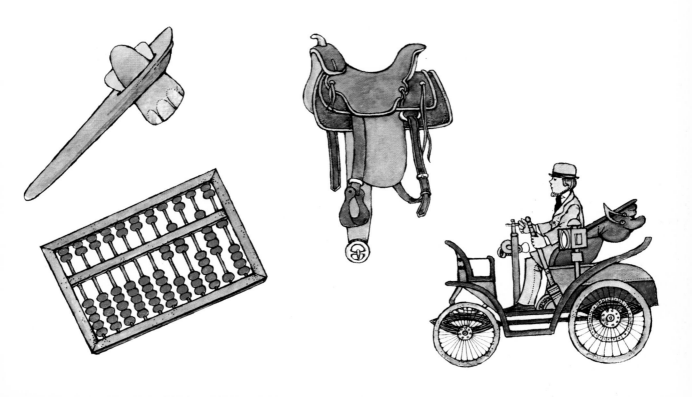

L'homme des cavernes

Comment vivait l'homme des cavernes?

Il y a quelques dizaines de milliers d'années, les hommes n'avaient pas de maison. Ils chassaient pour se nourrir. Ils suivaient les grands troupeaux de bisons, de rennes ou de mammouths.

Les hommes des cavernes vivaient dans des grottes, qu'ils décoraient de dessins et de peintures. Ceux de la grotte de Lascaux, dans le sud de la France, sont très célèbres.

Comment l'homme des cavernes fabriquait-il ses vêtements?

Les hommes chassaient avec des lances. Quand ils avaient abattu un animal, ils découpaient sa peau et la nettoyaient en la grattant. Puis ils cousaient les peaux avec des aiguilles en os, pour en faire des vêtements ou des tentes.

Quels étaient les outils et les armes de l'homme des cavernes?

L'homme ne connaissait pas encore les métaux. On appelle cette époque l'*Age de Pierre*, parce que les outils et les armes étaient faits en pierre taillée ou polie. Les hommes utilisaient aussi l'os pour en faire des pointes de flèches, des lances, ou des bijoux.

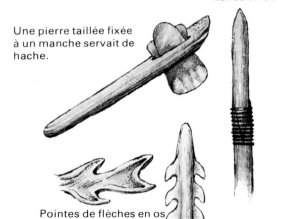

Lance en os

Une pierre taillée fixée à un manche servait de hache.

Pointes de flèches en os

L'homme apprend à mesurer

Les hommes se servaient de leur main et de leur bras pour mesurer. a représente le doigt; b, la paume; c,l'empan; d, la coudée. Quelle est la longueur de votre coudée?

Quelles furent les premières mesures?

L'homme commença par mesurer les choses à l'aide de sa main ou de son bras. La largeur de l'index s'appelait un *doigt;* c'était la mesure la plus petite. La largeur de la main s'appelait la *paume* et l'espace entre le bout du pouce et le bout du petit doigt écartés se nommait l'*empan*. La longueur entre le coude et le bout du majeur était la *coudée*.

Mesures exactes ou inexactes?

La largeur d'une main ou d'un doigt et la longueur d'un bras dépendent de la taille d'une personne. Ces mesures étaient donc imprécises. Finalement, il a fallu choisir une unité de mesure qui soit la même pour tout le monde.

Comment mesurer la distance?

Les Romains ont inventé un système de mesure très utile pour calculer les longues distances. Cette mesure, le *mille,* correspond à mille pas (environ 1 480 mètres). Au bout de chaque mille, les Romains posaient une borne. On peut encore voir certaines de ces bornes sur le bord d'anciennes voies romaines.

La mesure des distances varie encore aujourd'hui : le mille anglais (*mile*) fait 1 609 mètres et le mille marin 1 852 mètres.

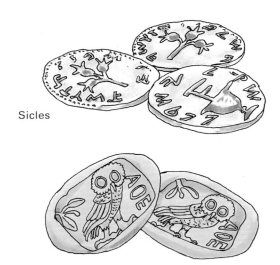

Sicles

Drachmes

Qu'est-ce que le système métrique?

Le système métrique est l'ensemble des mesures qui ont pour base le mètre. Il fut adopté en France en 1801 puis s'étendit dans la plupart des pays du monde.

Pour déterminer la longueur du mètre, on calcula la circonférence de la Terre. Le mètre correspondait à la quarante-millionième partie de cette longueur. L'utilisation du système métrique devint obligatoire en France à partir du 1er janvier 1840.

Comment mesurer une surface?

Les hommes avaient inventé toutes sortes de moyens pour mesurer leur terre. Dans certains pays, on calculait la taille d'un champ d'après le temps nécessaire à son labour.

De nos jours, on utilise la chaîne d'arpenteur. A l'aide de cette chaîne, dont tous les maillons sont de taille égale, les agriculteurs peuvent connaître la surface exacte d'un terrain.

Autrefois, on employait en Inde une méthode originale : si quelqu'un voulait acheter un champ, il alignait des pièces de monnaie tout autour du terrain. Chaque pièce devait toucher la précédente et la suivante. Après cette opération, le vendeur emportait les pièces et l'acheteur conservait le terrain. C'est ainsi que l'on définissait la valeur d'un champ.

On utilisait également la coudée : un nœud était fait sur une longue corde tous les 50 cm (longueur moyenne d'une coudée). Il suffisait d'étendre cette corde autour du champ pour en connaître la taille.

Quand a-t-on utilisé la monnaie pour la première fois?

Les pièces représentées ci-dessus datent de plus de deux mille ans.

Les hommes s'en servirent d'abord comme poids, dans des balances. Mais les pièces étaient plus ou moins lourdes et certains marchands trichaient.

On fabriqua alors de nouvelles pièces qui pesaient toutes exactement le même poids. Plus tard, les pièces furent utilisées comme *monnaie d'échange.* On les échangeait contre de la nourriture ou des objets puisque leur *valeur* était reconnue et semblable partout. Les premières pièces étaient en plomb.

D'autres mesures anciennes

Comment mesurer le temps?

Comment feriez-vous pour mesurer le temps si vous n'aviez pas une montre ou un réveil? Les hommes ont toujours cherché un moyen efficace pour savoir l'heure. Ils s'aidaient du Soleil lorsqu'il faisait beau. Mais par temps gris, ils devaient trouver une autre méthode. Les dessins ci-contre montrent quelques-uns des systèmes qu'ils avaient inventés.

Comment marche le cadran solaire?

Les Égyptiens se servaient du Soleil pour connaître l'heure. Ils plantaient un bâton dans le sol. Pendant la journée, le Soleil tournait et l'ombre du bâton changeait de place. Le cadran solaire utilise la même technique.

Quel fut le premier calendrier?

Les hommes avaient remarqué que la Lune changeait d'aspect au cours du mois. Elle était d'abord ronde, puis prenait la forme d'un croissant. Ils constatèrent que la Lune était pleine tous les 28 jours. Chaque pleine Lune marqua le début d'un nouveau mois. Ce fut le premier calendrier.

Comment s'aider des étoiles?

Les étoiles changent de place dans le ciel au cours de l'année. En observant ces changements pendant douze mois, les hommes purent établir un calendrier annuel. Il était cependant moins précis que le calendrier lunaire utilisé précédemment.

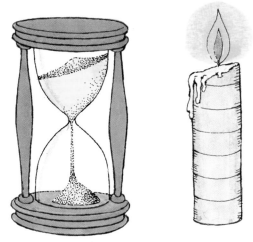

Ci-dessus : on utilise encore le sablier aujourd'hui. Lorsqu'on veut faire cuire des œufs à la coque, on retourne le sablier. Le sable met exactement trois minutes à tomber. La bougie peut aussi servir à mesurer le temps. Celle-ci porte sept marques. Il faudra sept heures pour qu'elle se consume entièrement.

Ci-dessus : l'horloge à eau est percée d'un petit trou, par lequel l'eau s'écoule régulièrement.

Ci-dessous : on utilise encore le cadran solaire aujourd'hui. Mais il ne fonctionne que par beau temps.

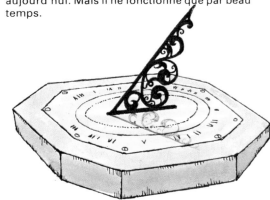

Comment les hommes comptaient-ils autrefois?

Nous utilisons aujourd'hui le *système décimal*. Il est basé sur le chiffre 10. Autrefois, les hommes utilisaient d'autres moyens. Les dessins ci-dessous montrent des méthodes de calcul dont ils se servaient.

Ci-dessus : l'homme préhistorique se servait de cailloux pour compter ses moutons. Chaque caillou représente un mouton.

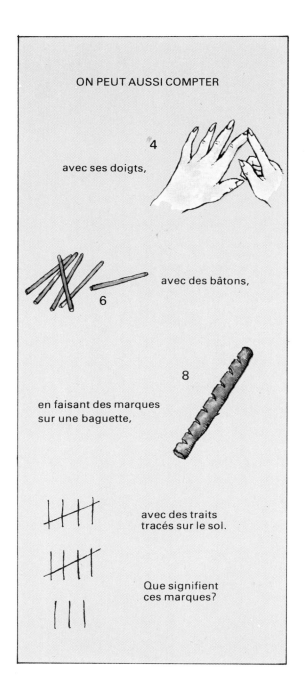

ON PEUT AUSSI COMPTER

4

avec ses doigts,

6

avec des bâtons,

8

en faisant des marques sur une baguette,

avec des traits tracés sur le sol.

Que signifient ces marques?

Ci-dessus : les Incas comptaient à l'aide de cordes. Chaque nœud représente un objet.

Ci-dessus : les Chinois comptaient à l'aide d'un boulier. Le boulier comporte plusieurs rangées de boules, qui glissent de gauche à droite.

Connaître et comprendre le passé

Comment connaître le passé?

Les hommes ont toujours laissé des témoignages de leur vie et de leur travail. Les pointes de flèche, par exemple, sont des témoignages de la vie des hommes préhistoriques. En les examinant, on peut connaître le passé. C'est le travail des *archéologues*.

Les archéologues étudient sur des *sites*, c'est-à-dire sur des emplacements où vécurent autrefois des hommes. Dès que l'on découvre un site, des équipes de savants vont y faire des fouilles. Ils creusent le sol très soigneusement. S'ils ont de la chance et de la patience, ils trouvent des objets intéressants.

On découvre souvent les sites par hasard, en labourant un champ ou en démolissant une maison.

Quels documents peut-on trouver?

Dans certains pays, on écrivait sur des *tablettes* d'argile. Cette matière se conservait bien, et on a retrouvé de nombreux documents de ce type. D'autres personnes utilisaient du papier très épais, qu'on a découvert dans des jarres de terre. La jarre a protégé le document, et on a pu le déchiffrer.

A droite : les tablettes d'argile servaient de papier. On les gravait avec un stylet. L'écriture représentée ici s'appelle l'écriture *cunéiforme*. Chaque groupe de marques correspond à un son.

Ci-dessous : ce papier est fabriqué à base de joncs. Les feuilles sont cousues ou collées les unes aux autres. Il faut les dérouler pour les lire. On conservait ces manuscrits dans des jarres.

Comment dater les objets que l'on trouve?

« Quel âge a cet objet? ». C'est la première question que se pose l'archéologue. Si le site a été habité à différentes époques, on trouvera les objets à des profondeurs variées. Une poterie qui était proche de la surface sera moins vieille qu'une autre trouvée plus profondément. L'archéologue note donc très précisément l'endroit où il a trouvé un objet. Quand plusieurs personnes fouillent côte à côte, elles doivent faire attention à ne rien déplacer.

A droite : les archéologues font des fouilles dans les ruines d'une maison.

Que peut-on trouver sur un site?

On trouve toutes sortes d'objets sur un site. Il arrive que l'on découvre les ruines d'une maison ou d'un village entier. Parfois, le sol est pavé de mosaïques et les murs sont peints de fresques. Ce sont des témoignages très précieux sur l'art et la vie quotidienne d'une époque.

Les dessins ci-contre montrent certains des objets que l'on trouve dans les fouilles. Les sandales de cuir se conservent bien dans le sable, ainsi que les peignes et les aiguilles en os qui ne rouillent pas. Les poteries sont souvent cassées, mais on peut les reconstituer en numérotant soigneusement les morceaux dès qu'on les trouve. Les archéologues recueillent aussi souvent des outils, des bijoux, des pièces de monnaie et même des lambeaux de tissu qui ont traversé les siècles.

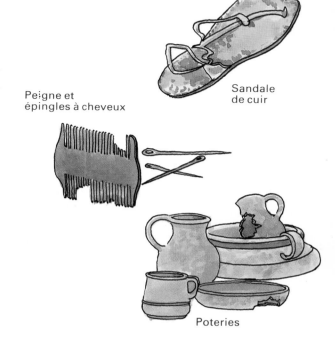

Sandale de cuir

Peigne et épingles à cheveux

Poteries

A droite : la maison représentée en haut ressemblait probablement à celle-ci. Les archéologues peuvent reconstituer son architecture d'après leurs fouilles.

La vie en Égypte ancienne

Comment s'appelle le grand fleuve égyptien?

Le fleuve qui traverse l'Égypte s'appelle le Nil. Il parcourt le pays du sud au nord et se jette dans la Méditerranée. Tout autour du fleuve, la terre est très riche. Sans le Nil, l'Égypte n'aurait pas eu le développement important qu'elle a connu autrefois.

Pourquoi le Nil a-t-il eu une telle importance?

L'Égypte est un pays très sec et très chaud, presque entièrement recouvert de désert. Autour du fleuve, par contre, le sol est riche et humide, bon à cultiver. Les paysans égyptiens ont appris à irriguer leurs terres. Ils ont fait venir l'eau du Nil jusqu'à leurs champs, à l'aide de barrages et de petits canaux. Ils pouvaient donc cultiver la terre même en période de sécheresse.

Grâce à l'irrigation, les paysans ont pu produire suffisamment de nourriture pour le pays entier. Cela permit à d'autres gens de s'installer dans des villes pour travailler. Ainsi naquirent les puissantes cités égyptiennes qui sont restées célèbres.

Qu'ont fait les Égyptiens?

Les Égyptiens ont construit de nombreux monuments. Les plus célèbres s'appellent les *pyramides*. Ce sont de gigantesques constructions à la gloire des *pharaons*, les souverains du pays.

Il fallut plus de cent ans pour achever la plus grande des pyramides. Les ouvriers déplacèrent 25 millions de tonnes de pierres à la main!

Les Égyptiens étaient aussi de grands artistes. Ils ont laissé de très belles sculptures et peintures.

Comment vivaient les Égyptiens?

Les Égyptiens occupaient leurs loisirs à jouer de la musique et à chasser. Ils s'habillaient de vêtements simples et légers : des tuniques, des jupes, des pagnes en lin ou en coton. Les hommes et les femmes se maquillaient avec du *khôl*, une poudre noire qu'ils passaient autour de leurs yeux. Ils teignaient aussi leurs cheveux au *henné*, pour leur donner des reflets roux. Ils portaient de nombreux bijoux. De beaux colliers, des bracelets et des boucles d'oreille ont été retrouvés lors des fouilles.

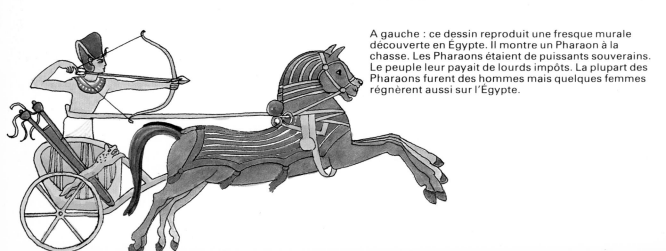

A gauche : ce dessin reproduit une fresque murale découverte en Égypte. Il montre un Pharaon à la chasse. Les Pharaons étaient de puissants souverains. Le peuple leur payait de lourds impôts. La plupart des Pharaons furent des hommes mais quelques femmes régnèrent aussi sur l'Égypte.

Que connaissaient les Égyptiens?

La civilisation égyptienne fut l'une des plus importantes de l'Antiquité. Ce pays fut extrêmement puissant pendant des milliers d'années avant Jésus-Christ. Les Égyptiens avaient mis au point toutes sortes d'outils qui facilitaient leur travail et augmentaient leur confort. Les Égyptiens écrivaient en utilisant des *hiéroglyphes :* ils ne se servaient pas de lettres, mais de dessins. Seuls les *scribes* savaient écrire. On allait les trouver pour leur dicter du courrier ou des contrats.

La terre contenait beaucoup d'argile, et de nombreux Égyptiens apprirent l'art de la poterie. Les potiers fabriquaient des tablettes pour écrire, des briques, des statues, ainsi que des pots, des jarres ou des assiettes. Le *tour* de potier était déjà connu en Égypte il y a quatre mille ans.

Le filage
du coton

Comment les Égyptiens utilisaient-ils le coton?

La femme représentée ci-dessus est en train de filer du coton. Elle utilise une *quenouille* d'argile. Le coton s'enroule autour de la quenouille qui tourne. Le poids de la quenouille tire les *fibres* du coton, qui devient un fil très fin.

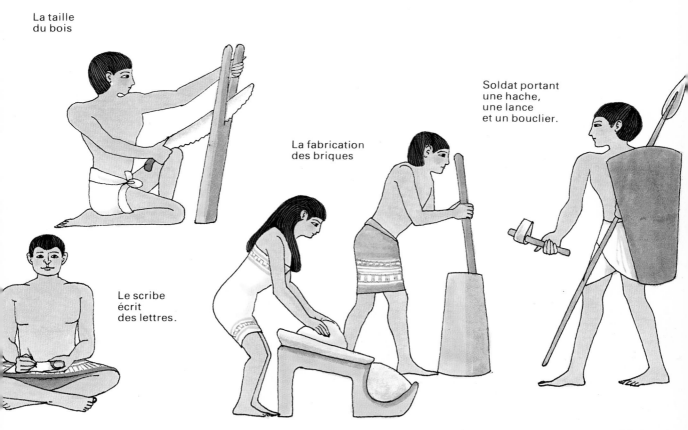

La taille
du bois

La fabrication
des briques

Soldat portant
une hache,
une lance
et un bouclier.

Le scribe
écrit
des lettres.

Les pyramides

Qu'est-ce qu'une pyramide?

Vous pouvez voir sur ce dessin la forme des pyramides. Elles ont quatre côtés et se terminent en pointe vers le haut. Les Égyptiens bâtissaient des pyramides pour servir de tombeau à leurs rois, les pharaons. Quand un roi mourait, son corps était déposé dans une chambre secrète, à l'intérieur de la pyramide. La chambre était remplie des trésors et des bijoux du souverain. Pour écarter les voleurs, on condamnait l'entrée de la chambre.

Comment les Égyptiens ont-ils construit les pyramides?

La plus haute des pyramides s'appelle la Grande Pyramide. On peut encore la voir, tout près de la ville du Caire, capitale de l'Égypte.

La Grande Pyramide fut construite il y a 4 000 ans, pour le roi Chéops. Cette pyramide est constituée de 2 millions d'énormes blocs de pierre. Chacun de ces blocs mesure 2 mètres et pèse plus de 2 tonnes. Les blocs de pierre étaient taillés dans des carrières et apportés par bateau. Les Égyptiens n'avaient pas de machine pour déplacer ces blocs et des équipes d'ouvriers devaient tirer les pierres jusqu'au chantier. On mesurait le bloc et on le coupait à la bonne taille. Puis ces énormes pavés étaient hissés sur un plan incliné (une pente), construit le long de la pyramide. Plus la pyramide s'élevait, plus le plan incliné était allongé. Une fois la pyramide achevée, le plan incliné était démoli. Toutes les pierres qui formaient l'extérieur de la pyramide étaient blanches et soigneusement polies. Lorsque la Grande Pyramide était encore neuve, elle brillait comme un diamant sous le brûlant soleil d'Égypte.

Les pays bibliques

Quelle est l'origine du peuple juif?

Le peuple juif tire son nom du mot *Yéhoudi*. Yéhoudi signifie *judéen*, c'est-à-dire « du pays de Juda ». Mais jusqu'au VIe siècle avant Jésus-Christ, le peuple juif était connu sous le nom de peuple *hébreu*.

Le mot hébreu vient d'*Abraham*, l'ancêtre de ce peuple. Selon la Bible, livre sacré des Juifs, Dieu avait promis à Abraham un pays où pourrait s'installer son peuple. Cette Terre Promise était la Palestine. Aujourd'hui, on ne parle plus de pays bibliques, mais de Moyen-Orient.

Comment vivaient les Juifs?

Les Juifs étaient prisonniers en Égypte, où ils étaient tenus en esclavage. Ils furent libérés par Moïse, qui les conduisit dans le désert avec l'aide de Dieu. Les Juifs passèrent plusieurs années dans le désert, avant que Moïse ne les mène à la Terre Promise, qu'on appelle maintenant Israël.

Comment les Juifs vivaient-ils dans le désert?

Il pleut très rarement dans le désert du Sinaï, où s'étaient réfugiés les Juifs. Pourtant, on y trouve quelques plantes qui peuvent nourrir des moutons ou des chèvres. La vie y était dure pour les Juifs, qui n'étaient pas habitués à manquer d'eau ou de nourriture. Ils s'installèrent près des *oasis*. Une oasis est un trou d'eau au milieu du désert, autour duquel poussent des palmiers.

Les Juifs étaient-ils nombreux? Combien de temps restèrent-ils dans le désert?

Les Juifs passèrent près de 40 ans dans le désert avant de gagner la Terre Promise. La Bible raconte qu'il y avait plus de 600 000 hommes. Mais les historiens pensent qu'ils n'étaient que 6 000.

Comment peut-on survivre dans le désert?

L'homme ne peut pas vivre sans eau. Il fallut donc que les Juifs construisent des puits. Ces puits étaient très profonds et ils étaient difficiles à creuser dans le sable.

Pour transporter l'eau, les femmes se servaient de jarres en argile, ou de peaux de chèvres cousues.

Que firent les Juifs en arrivant en Terre Promise?

Le peuple juif était constitué de douze groupes, qui vivaient séparément. Quand les Juifs atteignirent la Terre Promise, ils chassèrent les gens qui y vivaient. Il y eut de nombreuses batailles. Une fois, les Juifs furent vaincus et conduits comme esclaves dans un autre pays. Mais ils revinrent en Israël et reconstruisirent leurs villes.

Quels étaient les autres habitants des pays bibliques?

Les pays bibliques étaient habités par différents peuples. Le peuple le plus célèbre était celui des *Philistins*. La Bible raconte que les Philistins envoyèrent un géant, Goliath, pour combattre un jeune berger d'Israël nommé David. David remporta le combat et devint le roi du peuple juif.

Dans ces régions vivaient aussi les *Chananéens*. Ils adoraient le dieu Baal. Les Juifs, eux, croyaient en Dieu, qu'ils appelaient Yahvé.

On se servait d'une peau de chèvre pour transporter l'eau.

19

Les métiers à l'époque biblique

Quels étaient les métiers importants?

A cette époque, deux métiers étaient très importants : celui de potier et celui de forgeron. Le potier fabriquait les jarres et les pots dont on se servait chaque jour et le forgeron faisait les outils indispensables aux artisans et aux paysans.

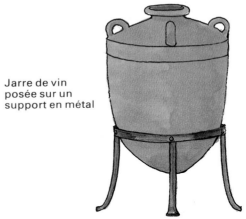

Jarre de vin posée sur un support en métal

Quel était le travail des potiers?

Les dessins ci-contre représentent plusieurs sortes de poteries.

Les plus grandes jarres servaient à conserver des liquides précieux, comme l'huile, le vin ou l'eau. Ces jarres étaient poreuses, c'est-à-dire qu'elles laissaient passer l'air. Les liquides restaient donc toujours frais. On posait les grandes jarres sur des trépieds. Leur fond n'était pas plat. Les documents importants étaient également conservés dans des pots d'argile. Les pots les plus petits servaient à ranger des épices et des herbes, ou bien des produits de maquillage et des parfums.

On conservait aussi les papiers dans des jarres.

Comment travaillaient les potiers?

Le potier fabriquait sa jarre sur un tour. Ensuite, il la faisait cuire dans un four de briques, jusqu'à ce qu'elle soit assez dure pour être utilisable.

Petites jarres à épices

A gauche : le potier et son assistant travaillent sur un tour.
Les poteries cuisent dans un four.

Le forgeron martèle le fer rougi. Un garçon est chargé d'entretenir le feu avec un soufflet.

Quel était le travail des forgerons?

Les forgerons fabriquaient les ustensiles et les plats dont se servaient les femmes pour cuisiner. Ils faisaient aussi des faux et des socs de charrue pour les paysans. En temps de guerre, les forgerons fabriquaient les armes et les boucliers des soldats.

La plupart des métaux doivent être chauffés pour être mis en forme. Le dessin ci-dessus montre un forgeron au travail. Il plongeait le métal dans le feu. Lorsque le métal était rouge, le forgeron le martelait pour lui donner une forme. Il fallait parfois chauffer le métal plusieurs fois avant que l'outil soit achevé. Un jeune garçon était chargé d'attiser le feu à l'aide d'un soufflet.

Quels métaux utilisait-on?

On utilisait le plus souvent le bronze et le fer. Le *bronze* est un alliage de cuivre et d'étain.

Les métaux comme l'argent ou l'or étaient également connus, mais ils étaient déjà rares et précieux. Seules les personnes très riches pouvaient s'en procurer. De plus, l'or et l'argent sont des métaux tendres. On ne peut pas s'en servir pour faire des outils. Ils s'useraient très vite et plieraient ou casseraient facilement. On n'utilisait donc l'or et l'argent que pour faire des bijoux ou des objets de luxe. On les ornait alors parfois de pierres précieuses.

Ci-dessous : vous voyez sur ce dessin les pots et les outils dont on se servait à l'époque biblique. Lesquels d'entre eux nous servent encore?

Comment construisait-on les maisons à l'époque biblique?

Les dessins de cette page montrent des ouvriers au travail. A l'époque biblique, tout se faisait à la main. Les travaux demandaient beaucoup plus de temps qu'aujourd'hui.

Pour construire une maison, il fallait l'aide de plusieurs artisans. Le charpentier se chargeait de tailler les poutres et les planches. Mais le bois était rare. Il coûtait cher, et on l'utilisait peu. Les maisons étaient le plus souvent construites en pierre ou en briques. Les briques étaient constituées d'argile humide, que l'on mettait à sécher dans des *moules*. Quand l'argile avait durci au soleil, la brique était prête. Les tailleurs de pierre se chargeaient de casser les pierres à la bonne dimension pour élever un mur. De nombreuses maisons étaient bâties en pierre. Ci-dessous à droite, le tailleur de pierre se sert d'un *ciseau* et d'une *massette en bois*.

Charpentiers

Fabricants de briques

Tailleurs de pierre

Les pêcheurs attrapaient le poisson des lacs et des rivières.

Quels étaient les autres métiers?

Les hommes devaient avant tout nourrir leurs familles. Certains étaient pêcheurs. Ils partaient en mer ou sur les lacs et rapportaient du poisson. On conservait le poisson en le séchant ou en le salant.

D'autres hommes étaient bergers. Ils gardaient les troupeaux de chèvres ou de moutons, qui fournissaient la viande. Les paysans cultivaient surtout des céréales, comme le blé et l'orge, dont on faisait le pain.

A cette époque, les gens ne savaient ni lire ni écrire. Lorsqu'ils avaient besoin d'envoyer une lettre ou de rédiger un contrat, ils allaient trouver le scribe. Le scribe était un homme instruit, qui avait pu faire des études.

D'autres hommes gagnaient leur vie en jouant de la musique pour des familles riches. La *lyre*, que vous pouvez voir ci-dessous, était l'instrument le plus répandu. Les musiciens jouaient pendant les fêtes et ils avaient aussi un rôle magique. Dans l'Antiquité, on croyait que la musique chassait l'esprit du mal.

Les scribes étaient chargés de toutes les écritures.

Les musiciens chantaient et jouaient de la lyre.

La Chine ancienne

Qui étaient les habitants de la Chine ancienne?

La Chine est un pays immense. Autrefois, il était habité par plusieurs peuples aux coutumes très différentes.

Le souverain de la Chine était un empereur. Les Chinois appelaient leur pays *L'Empire du Milieu*, car ils pensaient que la Chine était au centre du monde. La Chine était divisée en provinces, dirigées par des gouverneurs. La plus grande partie de la population était paysanne. Mais il y avait aussi de nombreux commerçants dans le pays, ainsi que beaucoup d'artistes : des peintres, des poètes, des philosophes, des musiciens et des sculpteurs.

Comment vivaient les paysans?

Les paysans menaient une vie difficile. Ils habitaient des maisons très petites. Il n'y avait généralement qu'une seule pièce pour la famille et le bétail.

Les paysans travaillaient beaucoup, mais une grande partie de leur récolte devait être versée au gouverneur de la province.

Qui trouvait-on dans les villes?

L'empereur habitait la capitale, dans un palais magnifique. Le palais renfermait des jardins et des cours, ainsi qu'un grand nombre de pièces. Il était entouré d'une haute muraille.

Les villes chinoises sont souvent très étendues. Elles sont divisées en quartiers. Les artisans qui pratiquaient le même métier se regroupaient dans le même quartier.

Ci-dessous : quelques personnages de la Chine ancienne, revêtus de leurs costumes traditionnels.

Un acteur

Un enfant

Une femme

Un homme

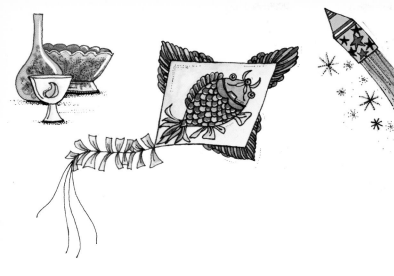

Que fabriquait-on en Chine?

La Chine était célèbre pour ses artistes. On trouvait dans ce pays des tissus somptueux, des broderies raffinées, des peintures extrêmement délicates. Les joailliers travaillaient le bronze, l'ivoire et le jade avec minutie. Le jade est une pierre difficile à sculpter car elle est très dure. Les Chinois appelaient le jade : la « pierre du paradis ». Ils pensaient que cette matière avait des pouvoirs magiques. Seuls les gens riches pouvaient en posséder car le jade coûtait très cher. Les Chinois connaissaient également l'art de la poterie. Ils se servaient déjà du tour de potier il y a quatre mille ans. Leurs porcelaines étaient particulièrement belles. Aujourd'hui, les anciennes porcelaines chinoises sont très recherchées par les collectionneurs.

Ci-dessus : les Chinois étaient de grands artistes. Ils peignaient sur soie, sculptaient le jade, fabriquaient de la porcelaine et des feux d'artifice.

Les Chinois écrivaient à l'aide d'un pinceau. Leurs livres se lisaient de haut en bas.

Qu'écrivait-on en Chine?

L'écriture chinoise est l'une des écritures les plus anciennes. Les Chinois écrivirent d'abord sur de l'os. Plus tard, ils fabriquèrent du papier à l'aide de riz ou de bambou. Le gouvernement chinois établissait des livres de lois ou d'impôts; les philosophes et les poètes écrivaient de nombreux ouvrages. Le premier livre d'histoire et le premier dictionnaire du monde apparurent en Chine, il y a près de 2 000 ans.

Pour écrire, les Chinois se servent d'*idéogrammes*. Les idéogrammes sont des dessins faits au pinceau. Chaque dessin représente un mot différent. Il faut beaucoup de temps pour apprendre à écrire.

Les dieux de la Grèce antique

Qu'est-ce que la mythologie?

La mythologie est l'histoire fabuleuse des dieux et des héros de l'Antiquité.

Les Grecs, comme tous les peuples antiques, croyaient en une multitude de dieux. Ils les adoraient et leur offraient des sacrifices.

Les plus grands des dieux étaient Zeus et ses frères, Poséidon et Hadès. Zeus était le dieu de la terre et du ciel. Poséidon régnait sur la mer. Hadès était le dieu des morts et du monde souterrain. Les dessins ci-dessous vous montrent certains des dieux grecs.

Les Grecs adoraient aussi de nombreuses déesses. Chacune avait un rôle différent : Athéna, déesse d'Athènes, représentait la sagesse. Artémis était la déesse de la chasse et Aphrodite était la déesse de la beauté. Héra, la femme de Zeus, était la déesse du mariage.

Où vivaient les dieux?

Les Grecs pensaient que leurs dieux habitaient l'Olympe. L'Olympe est une montagne située au nord de la Grèce. Mais les dieux avaient des pouvoirs magiques. Ils pouvaient quitter l'Olympe et venir sur terre. Ils pouvaient aussi se transformer en hommes ou en animaux. Les dieux étaient au courant de tout ce qui se passait sur la terre. Parfois, ils intervenaient parmi les hommes. Ils récompensaient les bons et punissaient les méchants.

Zeus, roi du ciel et de la terre, maître de tous les dieux

Eros, dieu de l'amour

Apollon, dieu de la lumière, de l'art et de la musique

Hermès, messager des dieux

Poséidon, dieu des mers

Déméter, déesse de la terre

Athéna, déesse de la sagesse

Que raconte la mythologie?

La mythologie raconte toutes les aventures des dieux et des déesses grecs. On y trouve l'histoire du géant Atlas, qui avait voulu combattre les dieux. Zeus, pour le punir, le condamna à porter le ciel sur ses épaules. C'est là l'origine de notre mot « atlas ».

En apprenant la mythologie, les Grecs savaient comment plaire à leurs dieux.

Les dieux grecs s'entendaient-ils entre eux?

Les dieux grecs ressemblaient beaucoup aux hommes. Ils avaient souvent mauvais caractère, et de nombreux défauts. Parfois, ils se disputaient.

Lorsque les hommes se faisaient la guerre, les dieux prenaient parti pour un camp ou pour un autre. C'était aussi la guerre sur l'Olympe.

Pendant la guerre de Troie, certains dieux soutenaient les Troyens. D'autres, comme Athéna, voulaient la victoire des Grecs. Finalement, ce sont les Grecs qui ont gagné la guerre.

Comment les Grecs adoraient-ils leurs dieux?

Les Grecs construisaient des temples et des statues en l'honneur de leurs dieux. Ils leur offraient aussi des sacrifices, de la nourriture et du vin.

Qu'advint-il des dieux grecs?

Ils furent adorés par d'autres peuples. Les Romains adoraient les mêmes dieux que les Grecs. Ils leur donnaient simplement des noms différents : Zeus s'appelait Jupiter chez les Romains. Héra s'appelait Junon et Aphrodite se nommait Vénus. Leurs histoires étaient très semblables.

Ci-dessus : Arachné tissait de magnifiques tissus. Athéna en fut jalouse. Elle transforma Arachné en araignée. C'est pour cette raison, disent les Grecs, que les araignées tissent des toiles.

Ci-dessous : Pandore fut, selon un mythe grec, la première femme. Elle arriva sur terre avec une boîte qui contenait tous les maux. Son mari, Épiméthée, ouvrit la boîte. Les maux s'échappèrent et se répandirent sur la terre.

Rome et les Romains

Comment vivaient les Romains?

La vie à Rome était très agréable pour les gens riches. Ils étaient servis par de nombreux esclaves. Des aqueducs apportaient régulièrement l'eau fraîche des montagnes; les paysans livraient chaque jour les produits de leurs champs.

Les gens riches habitaient de grandes maisons qu'on appelle des *villas*. Ces maisons étaient chauffées en hiver, et fraîches en été.

Les familles riches voyageaient confortablement. Elles s'installaient dans des litières tirées par des chevaux ou portées par des esclaves.

Les esclaves, par contre, étaient souvent malheureux. Ils ne pouvaient quitter leur maître, car ils lui appartenaient. Ils travaillaient tous les jours, sans être jamais payés. Certains esclaves étaient fouettés dès qu'ils avaient commis une faute.

Pourquoi les Romains construisaient-ils des temples?

Les Romains construisaient des temples en l'honneur de leurs dieux. Chaque temple, sauf le Panthéon, était consacré à un dieu particulier. Le Panthéon était le temple de tous les dieux. Le temple était entretenu par des prêtres et des *vestales*. Les vestales étaient des jeunes filles qui faisaient vœu de ne pas se marier pour servir le dieu.

Un temple

Une villa

Le viaduc amène l'eau.

Une litière

Un char

Une voie romaine pavée

A quoi servait le fleuve qui traverse Rome?

Le fleuve qui coule à travers Rome s'appelle le Tibre. Les Romains ne buvaient pas son eau : elle était sale, car le Tibre recevait toutes les ordures de la ville. Le Tibre servait à faire tourner des moulins. Il y avait à Rome près de 300 moulins, semblables à celui du dessin ci-contre. La farine et le pain constituaient l'unique nourriture de beaucoup de gens.

A quoi ressemblaient les livres romains?

Les livres des Romains ne ressemblaient pas du tout aux nôtres. Ils étaient écrits à la main et n'étaient pas reliés. C'étaient de longues feuilles de papier, collées bout à bout. On les roulait et on les attachait avec un ruban. Il fallait les dérouler pour les lire.

Les Romains étaient-ils des navigateurs?

L'armée romaine possédait une marine très puissante. Elle régnait sur la Méditerranée. Les Romains remportèrent de nombreuses batailles navales. Ils se servaient de leurs navires pour conquérir des villes et des pays.

Rome est éloignée de la mer. Mais le fleuve qui la traverse, le Tibre, était suffisamment large et profond pour que les bateaux remontent jusqu'à Rome.

Les navires servaient également au commerce. Ils rapportaient à Rome le grain et le vin qui venaient des provinces lointaines ou des villes installées sur la côte.

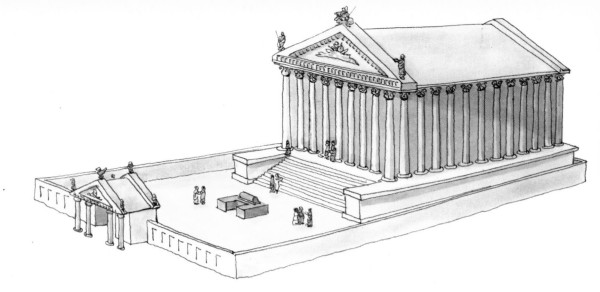

Pourquoi les temples étaient-ils importants pour les Romains?

Les Romains adoraient plusieurs dieux. Chaque dieu avait son propre temple. Certains temples étaient petits, d'autres étaient immenses. Seuls, les prêtres, les prêtresses et leurs serviteurs pouvaient pénétrer dans le sanctuaire.

Les Romains croyaient que leur vie était dirigée par les dieux. Ils offraient des cadeaux aux dieux et leur faisaient des sacrifices pour essayer de leur plaire et pour obtenir leurs faveurs.

Les temples étaient des bâtiments magnifiques, ornés de colonnes et de statues, de sculptures et de peintures. Autour des temples s'installaient les marchands. Ils vendaient des offrandes : jeunes agneaux, colombes, pigeons, parfums coûteux.

Certains temples romains étaient consacrés à des dieux étrangers. Les dieux romains étaient les mêmes que les dieux grecs, mais ils portaient des noms différents.

Comment étaient les villas romaines?

Seuls les riches Romains possédaient une villa. Une villa était une belle maison, située dans la ville ou la campagne. La plupart des villas possédaient aussi des fermes. Autour de la maison, les paysans produisaient la nourriture pour tous les habitants de la villa. Le dessin ci-dessous représente une villa.

Qu'est-ce qu'une mosaïque?

Une mosaïque est un tableau fait avec de petits morceaux de pierre ou de verre colorés. Ces morceaux sont appliqués sur du plâtre encore humide. En séchant, le plâtre les colle entre eux.

On fabriquait des mosaïques pour décorer les sols et les murs. Chaque villa et chaque palais de la Rome antique étaient ornés de mosaïques. Celles-ci représentent souvent des scènes de la vie quotidienne. Elles sont très précieuses pour les archéologues.

Qu'est-ce qu'un aqueduc?

Un aqueduc est un pont, sur lequel passe un canal rempli d'eau. Les Romains furent les plus grands constructeurs d'aqueducs de tous les temps. Ils faisaient ainsi venir l'eau des montagnes jusqu'aux villes.

L'armée romaine

Qui étaient les soldats de l'armée romaine?
Comment était composée l'armée romaine?

Toutes les villes qui se trouvaient sous la dépendance de Rome devaient fournir des hommes à l'armée. Les jeunes garçons suivaient un entraînement militaire et les meilleurs d'entre eux étaient désignés pour s'engager. Ils devenaient soldats le temps d'une guerre, puis regagnaient leurs foyers.

Par la suite, le système changea : tous les soldats durent s'engager pour une période de 25 ans. Ils recevaient en échange une *solde* suffisante pour leur permettre de faire vivre leur famille.

L'armée était composée de légions. En temps de paix, 4 légions suffisaient à surveiller et protéger le pays. En temps de guerre, on appelait de nouveaux soldats. Chaque légion était constituée de petits groupes, comme les *centuries* et les *manipules*. Les *centurions*, comme celui que vous pouvez voir ici à droite, étaient à la tête des centuries.

Qui étaient les fantassins?

La plupart des soldats de l'armée romaine étaient des fantassins : ils se déplaçaient à pied. Les fantassins formaient les troupes de combat ou de réserve. Ils étaient aussi chargés de l'entretien des ponts et des routes, pour les mouvements des armées. Les fantassins romains pouvaient marcher plus de 30 kilomètres chaque jour. Les soldats représentés ci-contre sont des fantassins. Ils portent leur armure et leur bouclier.

Qui étaient les cavaliers?

La cavalerie romaine était constituée de soldats qui combattaient à cheval. Chaque légion comportait au moins un groupe de cavaliers. Ces soldats portaient une armure très légère. Ils se battaient souvent avec des javelots et non avec des épées. Les cavaliers de l'armée romaine montaient généralement à cru, c'est-à-dire sans selle. Les chevaux subissaient un entraînement spécial pour la guerre.

Quelles étaient les armes des soldats romains?

L'armée romaine était bien équipée. Les soldats combattaient à l'épée ou à la lance et se protégeaient avec des boucliers. Il existait aussi des armes spéciales pour assiéger les villes ou défoncer les portes.

Les soldats romains employaient une tactique d'assaut très célèbre, qu'on appelle la *tortue* : il fallait 27 hommes pour former une tortue. Les soldats se rangeaient en quatre files. Les hommes du premier rang tenaient leur bouclier vertical devant leur corps. Les soldats situés sur le côté protégeaient les flancs. Tous les hommes placés au milieu levaient leur bouclier au-dessus de leur tête, comme le montre le dessin ci-dessus. Lorsque les soldats étaient rangés en tortue, aucune flèche ne pouvait les atteindre. La tortue pouvait avancer jusqu'aux remparts d'une ville sans que les soldats soient blessés.

Les épées et les javelots que vous voyez représentés ci-contre étaient les armes les plus communes. Le javelot était constitué d'un manche en bois, sur lequel on fixait une pointe de métal. Les soldats dessinés ci-dessous portent tous des javelots. Le centurion marche en tête et porte une épée. Il est précédé par le porte-drapeau.

Les Vikings

Qui étaient les Vikings?

Les Vikings étaient les habitants des pays scandinaves : la Norvège, le Danemark et la Suède. Ils étaient d'excellents marins. Pendant plus de deux siècles, les Vikings firent régner la terreur sur terre et sur mer. Ils naviguaient sur des drakkars et pillaient tous les bateaux qu'ils croisaient. Lorsqu'ils débarquaient, ils prenaient d'assaut villes et villages et brûlaient toutes les récoltes.

Comment vivaient-ils?

Les dessins ci-contre montrent la vie quotidienne des Vikings.

Lorsqu'ils ne couraient pas les mers, les Vikings vivaient en communauté dans de grandes maisons.

Leurs pays étaient très froids et difficiles à cultiver. La nourriture quotidienne des Vikings était donc le poisson. Les Vikings sont célèbres pour leur bravoure, mais aussi pour leur musique et pour leurs *sagas*, des récits épiques.

Une maison viking tout le monde viva ensemble pendant les longs hivers.

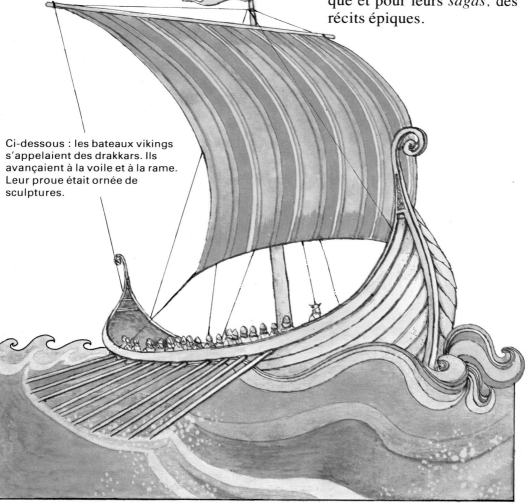

Ci-dessous : les bateaux vikings s'appelaient des drakkars. Ils avançaient à la voile et à la rame. Leur proue était ornée de sculptures.

34

Un hameau viking : les hommes et les femmes se partageaient le travail.

...struction d'une maison

...rication des poteries

Fabrication des armes

Les chevaliers

La couleur du panache permettait de reconnaître quel chevalier tournoyait. Chaque chevalier possédait ses propres armoiries.

Le chevalier protégeait sa tête avec un heaume. La visière pouvait être relevée.

Lance

Visière

La poitrine était protégée par des plaques de métal que les flèches ne pouvaient transpercer.

Gantelet

L'armure était si lourde que le chevalier ne pouvait pas monter à cheval tout seul.

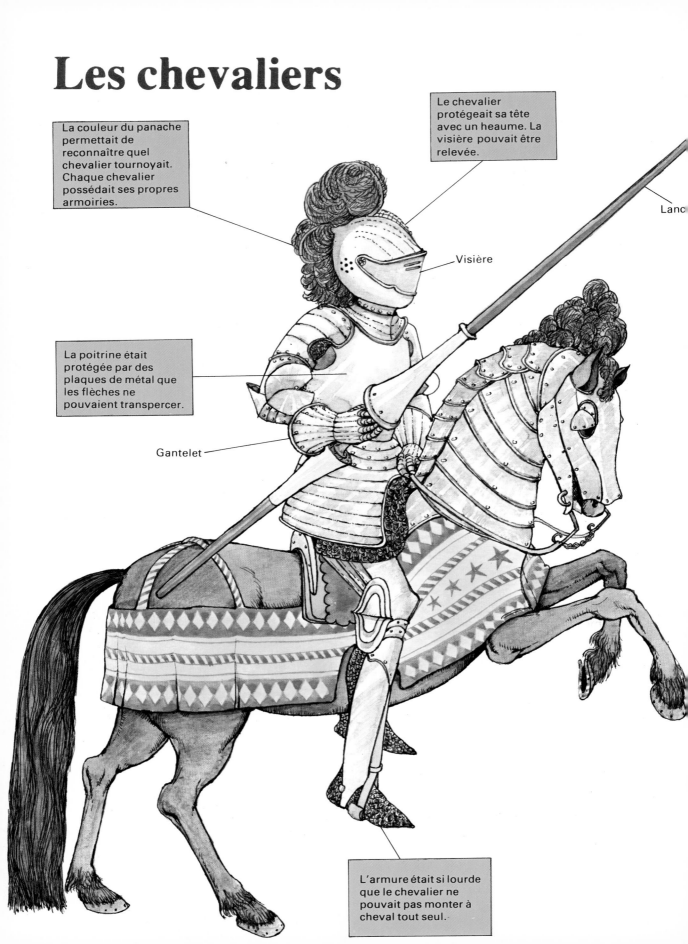

Comment devenait-on chevalier?

Au Moyen Age, la terre appartenait aux seigneurs. Ces seigneurs combattaient souvent entre eux. Ils avaient besoin de l'aide des chevaliers.

Un chevalier était d'abord un soldat. Mais il faisait aussi serment de protéger les faibles et de se battre pour de justes causes.

Le jeune homme qui voulait devenir chevalier suivait un entraînement pendant de longues années. Il était d'abord *page*. Les pages accompagnaient les dames. Ils apprenaient à monter à cheval, à chasser et à se battre en tournoi. Ensuite, le jeune homme devenait *écuyer*. Il servait un autre chevalier. En échange, le chevalier lui enseignait l'usage des armes. Quand il était prêt, le jeune homme était armé chevalier à son tour.

Comment était l'armure du chevalier?

Le chevalier revêtait d'abord une cotte de mailles. C'était une sorte de tunique de métal, constituée de petits anneaux entrelacés.

Par-dessus cette cotte de mailles, le chevalier enfilait son armure. L'armure était fabriquée sur mesure. Elle devait s'adapter exactement au corps du chevalier. Le chevalier portait aussi un *heaume* pour protéger son visage, et des gants de métal.

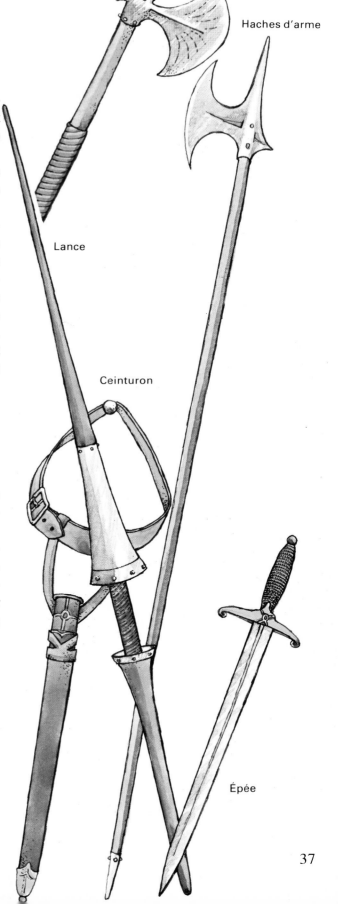

Haches d'arme

Lance

Ceinturon

Épée

Fourreau

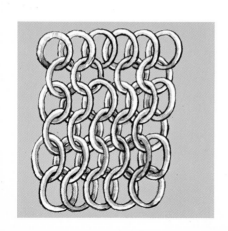

37

La vie dans les châteaux forts

Qui habitait les châteaux forts? Comment y vivait-on?

Le château fort était entouré de murailles et d'eau. Il était protégé par des *ponts-levis* jetés sur les *douves*. Il servait de demeure au seigneur, à sa famille, ainsi qu'aux serviteurs et aux soldats. En temps de guerre, les paysans venaient aussi s'y réfugier.

Le seigneur et sa famille habitaient dans le bâtiment principal, appelé le *donjon*. Les murs du donjon étaient très épais. Ils étaient percés de *meurtrières*, d'où les archers pouvaient tirer des flèches. Autour du donjon s'étendait une cour encerclée de murailles. Une seconde cour entourait la première cour. On y trouvait les potagers et les écuries. Le pont-levis était relevé chaque nuit.

Donjon

Haute cour

Basse cour

Tours de garde

Les herses se levaient et s'abaissaient.

Puits

Pont-levis

Douves

La plus grande chambre du
château était celle du
seigneur.

La grande salle servait de
salle à manger et de pièce de
réception. On y écoutait les
ménestrels qui venaient
jouer de la musique.

Les soldats montaient
la garde sur le chemin
de ronde.

Chapelle

Chambres
à coucher

Armurerie

Escalier

Citerne

Escalier extérieur

Cachots

Les paysans du Moyen Age

Comment travaillaient les paysans?

Au Moyen Age, le métier de paysan était plus dur encore qu'aujourd'hui. Les outils n'étaient pas très perfectionnés, et l'ouvrage se faisait à la main. On travaillait donc beaucoup plus lentement. Comme il n'y avait pas d'engrais chimiques ni d'insecticides, les récoltes étaient moins abondantes.

Qui travaillait dans les champs?

La famille tout entière participait au travail. A l'époque des moissons, les paysans s'aidaient d'une ferme à l'autre. On abandonnait tous les autres ouvrages, jusqu'à ce que la récolte soit rentrée. Au moment des labours, les paysans se prêtaient leurs bœufs à tour de rôle. Les enfants aidaient leurs parents.

Que devenait la récolte?

Quand la moisson était faite, on battait le grain, pour le séparer de son écorce. Ensuite, on le portait au moulin pour obtenir de la farine.

Au Moyen Age, les paysans se nourrissaient surtout de pain et de bouillies. Lorsque la récolte était abondante, ils pouvaient en vendre une partie.

Que se passait-il après la récolte?

A la fin des récoltes, la nourriture était engrangée pour l'hiver. Une grande fête réunissait les paysans d'un même village. On célébrait la fin des moissons et la fin du travail. L'hiver, il y avait moins d'ouvrage dans les champs. Les hommes et les femmes avaient le temps de s'occuper à la maison. Ils réparaient leurs outils abîmés.

Les menus de nos ancêtres

Que mangeait-on au Moyen Age?

Au Moyen Age, la nourriture n'était pas aussi variée qu'aujourd'hui. Les pommes de terre et les tomates, par exemple, étaient encore inconnues chez nous. On savait déjà conserver la viande en la salant, mais le sel coûtait cher. Les gens mangeaient donc chaque jour la même chose : du pain frotté d'oignon, de la bouillie d'avoine ou d'orge, un peu de fromage ou de lard. Ils buvaient de l'eau coupée de vin, du cidre ou de la bière. Pour les repas de fêtes, ils tuaient une poule, ou confectionnaient une omelette.

Les gens riches, par contre, avaient des menus plus variés. On leur servait le gibier de leurs forêts, des volailles et des agneaux rôtis, des cochons de lait et des poissons. Ils mangeaient du pain blanc et buvaient de bons vins. En automne, on trouvait du raisin à leur table, ainsi que des oranges et des poires. Les plats étaient toujours somptueusement présentés et servis par de nombreux serviteurs.

La fourchette n'existait pas encore, et on mangeait avec ses mains.

Que servait-on lors d'un banquet au siècle dernier?

Au siècle dernier, il n'y avait encore ni cinémas, ni télévision, ni radio. Lorsque les gens voulaient se distraire, ils se réunissaient souvent autour d'une table. Ils bavardaient en mangeant et les repas duraient plusieurs heures.

Les familles riches offraient des banquets.

Sur une nappe brodée, on disposait la plus belle vaisselle de la maison et une décoration de fleurs, de bibelots, d'argenterie et de cristaux.

A cette époque, les repas étaient beaucoup plus copieux qu'aujourd'hui. Toutes sortes de mets étaient apportés à table. Il y avait des entrées, des hors-d'œuvre, des entremets, du gibier, du poisson, des viandes, des légumes, des salades, des gâteaux, des glaces et des fruits. Chacun se servait de ce qu'il voulait. Les repas duraient très longtemps. On mangeait lentement et on parlait beaucoup.

Au milieu du repas, les invités dégustaient des sorbets, qui permettaient de mieux digérer. Puis ils passaient à la suite du festin. On servait aussi plusieurs sortes de vins blancs et rouges pour accompagner les différents plats, des liqueurs et des alcools pour finir.

Oranges

Cerises

Gâteaux

Tartelettes

Dinde

Carottes

Artichaux

Pâté en croûte

Chou-fleur

Oignons

Poisson

43

A bord d'un galion

Qu'appelait-on un galion?

Un galion était un bateau à voile construit pour le transport. Il portait trois mâts et de nombreuses voiles. Il pouvait être armé de canons placés dans les flancs du navire. Sur l'illustration vous voyez les ouvertures, appelées *sabords*, par lesquelles on tirait sur l'ennemi.

Où vivait l'équipage?

La vie était rude pour les hommes d'équipage. Certains marins dormaient dans le *château-avant*, qui se situait à la *proue*, c'est-à-dire à l'avant du navire. Mais la plupart d'entre eux se contentaient de hamacs accrochés sur le pont. D'autres dormaient dans les cales. Les cales étaient très sombres et souvent infestées de rats.

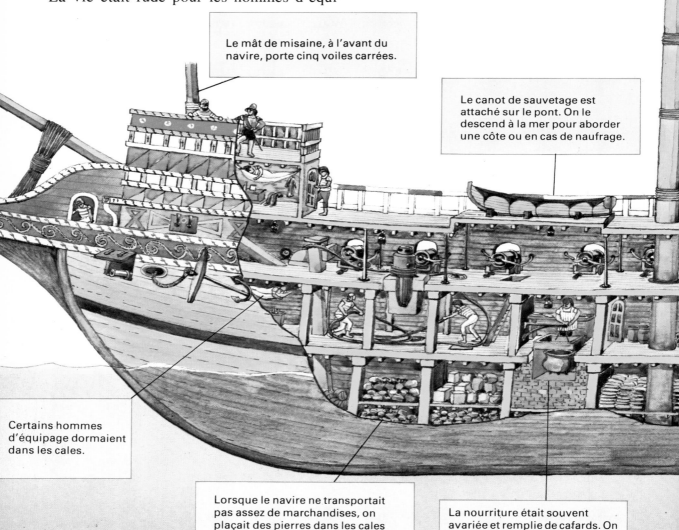

Le grand mât est le mât le plus haut du navire. Il porte cinq grandes voiles.

Le mât de misaine, à l'avant du navire, porte cinq voiles carrées.

Le canot de sauvetage est attaché sur le pont. On le descend à la mer pour aborder une côte ou en cas de naufrage.

Certains hommes d'équipage dormaient dans les cales.

Lorsque le navire ne transportait pas assez de marchandises, on plaçait des pierres dans les cales pour alourdir le navire. On appelle ces pierres le lest.

La nourriture était souvent avariée et remplie de cafards. On la préparait dans la cambuse.

Comment se passaient les batailles navales?

« Branle-bas de combat! » criait le capitaine lorsqu'un navire ennemi était repéré. Aussitôt, les hommes retiraient du pont tout ce qui l'encombrait : hamacs, caisses, cordages. On ouvrait les sabords et on se préparait à la bataille.

Les canonniers chargeaient leurs canons. Ils enfonçaient de la poudre, puis de l'étoupe et un boulet dans la gueule du canon. Par une ouverture du canon, ils mettaient le feu à l'étoupe, qui enflammait la poudre, et le boulet partait.

Les vaisseaux s'affrontaient *par le travers* en présentant leur flanc à l'ennemi. Ils en venaient à se toucher et le combat se terminait souvent par un abordage. Les marins devaient alors combattre au corps à corps.

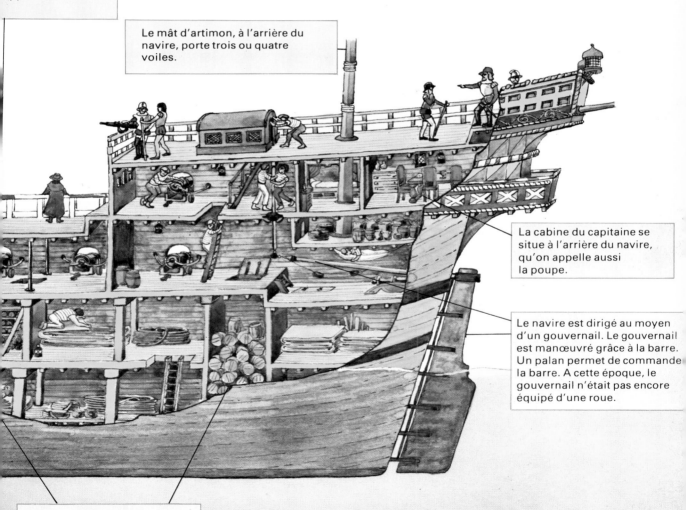

Les canons sont installés dans les flancs du navire. Ils sont dirigés vers l'extérieur par des ouvertures appelées les sabords.

Le mât d'artimon, à l'arrière du navire, porte trois ou quatre voiles.

La cabine du capitaine se situe à l'arrière du navire, qu'on appelle aussi la poupe.

Le navire est dirigé au moyen d'un gouvernail. Le gouvernail est manœuvré grâce à la barre. Un palan permet de commander la barre. A cette époque, le gouvernail n'était pas encore équipé d'une roue.

La cargaison du navire était rangée dans les cales.

Le Roi Soleil

Pourquoi appelait-on Louis XIV le Roi Soleil?

La cour de Louis XIV était si somptueuse, son palais était si beau, et Louis était un roi si puissant qu'on disait qu'il brillait sur le monde comme un soleil. Louis XIV avait d'ailleurs pris le soleil pour emblème.

Louis XIV a régné sur la France de 1643 à 1715. Il fut le premier roi à rassembler tous les nobles autour de lui. C'est ce qu'on appelait alors la *cour*.

Ci-dessus : le roi Louis XIV et ses courtisans passaient de longs moments à table. Louis XIV mangeait énormément. Il se fâchait si ses invités n'avaient pas faim et ne faisaient pas honneur au repas.

Quand fut construit le château de Versailles?

Les travaux de construction de Versailles commencèrent sous Louis XIV. Mais le palais ne fut entièrement achevé qu'un siècle plus tard. C'était le château le plus grand du monde. Il fallut beaucoup de temps pour en terminer la décoration. Les jardins aussi étaient magnifiques. Tous les rois qui succédèrent à Louis XIV ajoutèrent des bâtiments au palais. Aujourd'hui, Versailles est devenu un musée. On peut visiter les salles et se promener dans le parc.

Comment vivait-on à Versailles?

Louis XIV et les gens de la cour menaient une vie très luxueuse. Presque chaque jour, le roi conduisait une chasse à courre dans la campagne alentour. On pouvait aussi se promener dans les jardins, admirer les fontaines et les statues. Le soir, des spectacles étaient donnés dans le théâtre du palais. Louis XIV, qui aimait beaucoup Molière, y fit jouer plusieurs de ses pièces.

Qui travaillait à Versailles?

La présence de Louis XIV et de sa cour à Versailles donnait du travail à beaucoup de gens. Il fallait des jardiniers pour entretenir le parc, des cochers et des écuyers pour s'occuper des chevaux. Chaque personnage de la cour amenait avec lui son cuisinier, ses serviteurs. Chaque matin, la reine recevait son coiffeur. Les couturiers, les bijoutiers venaient aussi souvent lui offrir leurs services.

A gauche : vue du château de Versailles. Ce dessin ne montre qu'une partie des bâtiments et des jardins. Avant les travaux entrepris par Louis XIV, Versailles n'était qu'un pavillon de chasse.

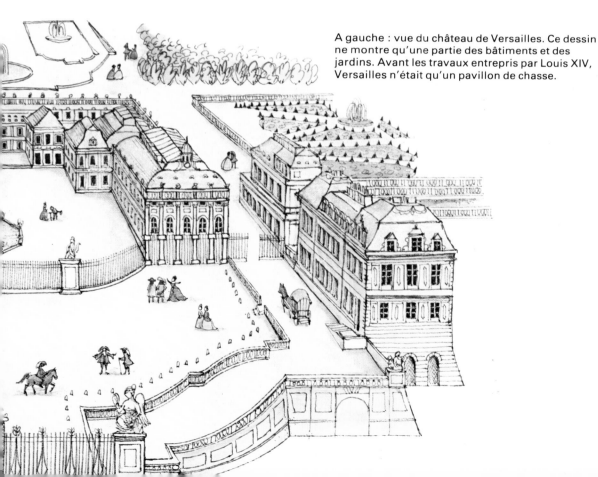

Les Indiens d'Amérique

Pourquoi les Indiens s'appellent-ils ainsi?

C'est Christophe Colomb qui a donné le nom d'Indiens aux habitants de l'Amérique. Quand son vaisseau toucha le continent américain en 1492, Colomb était persuadé d'avoir atteint l'Inde.

Les premiers colons qui débarquèrent en Amérique appelèrent aussi les Indiens des Peaux-Rouges, à cause de leur teint mat et des peintures dont ils se décoraient le visage.

Danse de guerre apache

Comment vivaient les Indiens?

Les Indiens vivaient en tribus. Ils chassaient et pêchaient ensemble et mettaient tous leurs biens en commun.

De nombreuses tribus se partageaient le sol américain. Les Navajos habitaient le sud-ouest du pays. Ce peuple était très habile à tisser et à fabriquer des bijoux d'argent et de turquoises. Aujourd'hui encore, ils confectionnent de belles couvertures. Certains peintres et sculpteurs navajos sont célèbres dans le monde entier. Les Iroquois vivaient dans le nord-ouest, près des Grands Lacs. Ils étaient d'excellents chasseurs. De nombreuses tribus vivaient aussi en Amérique centrale, sur les grandes prairies. La plupart de ces Indiens étaient des nomades. Ils suivaient les troupeaux de buffles et de bisons.

Tissage navajo

Les Indiens ne savaient pas cultiver la terre. Ils se nourrissaient principalement de viande. La peau de bison leur servait à confectionner des vêtements et des *tipis*, leurs tentes.

Quand les Espagnols importèrent le cheval en Amérique, les Indiens devinrent de remarquables cavaliers. Ils se mirent à chasser à cheval. Tout en montant sans selle ni bride, ils étaient capables de tirer à l'arc depuis leur cheval lancé au galop.

Canoës iroquois

Pêcheurs si

Que possédaient les Indiens?

Lorsque les Indiens suivaient les troupeaux, ils emportaient tous leurs biens. On chargeait les tentes et le matériel sur des traîneaux tirés par des chiens. C'étaient parfois les femmes qui tiraient les traîneaux, quand la tribu n'avait pas de chiens. Les objets devaient être légers et faciles à transporter. Les Indiens ne connaissaient pas le métal. Tous leurs outils étaient en bois ou en pierre.

Que faisaient les femmes indiennes?

Les femmes indiennes passaient beaucoup de temps à tanner les peaux et à les coudre. Elle les mâchait longuement pour les assouplir. La fourrure de bison était utilisée pour les vêtements chauds. La peau de buffle servait à faire des robes, des mocassins et des tentes.

Que faisaient les hommes?

Les hommes étaient le plus souvent en dehors du campement. Ils chassaient le gibier. Il leur fallait plusieurs jours pour traquer les bêtes, puis pour les tuer et les rapporter au camp.

Lorsqu'ils en avaient le temps, les hommes organisaient des épreuves d'endurance pour se distraire.

Ci-dessous : une tribu indienne des prairies d'Amérique centrale. Les femmes font sécher les peaux et les cousent pour fabriquer des vêtements. Les bébés indiens sont enveloppés dans des peaux et suspendus aux tipis. Le chef indien à droite, porte une parure de plumes. Les Indiens utilisaient la fumée pour se transmettre des messages.

Les colons d'Amérique

Qui furent les premiers colons d'Amérique du Nord?

Les premières personnes qui s'installent dans un pays s'appellent des colons. Ils quittent leur terre natale et vont vivre dans une nouvelle patrie, pour cultiver la terre.

Les premiers colons d'Amérique arrivaient d'Angleterre, sur le bateau *Mayflower*. Ils s'installèrent sur la côte est du pays, dans un état qu'on appelle aujourd'hui la Virginie.

Ces colons avaient quitté l'Angleterre pour une raison religieuse. Ils ne pouvaient pas pratiquer leur foi chez eux, et ils décidèrent de partir pour un nouveau monde. Dès leur arrivée en Amérique, en 1620, ils commencèrent à cultiver la terre.

Plus tard arrivèrent de nouveaux colons. Ils venaient d'Allemagne, de Scandinavie ou d'Irlande. Certains fuyaient la famine, d'autres avaient simplement le goût de l'aventure. Tous ces colons étaient des gens courageux. En débarquant en Amérique, ils espéraient s'enrichir rapidement.

Quand on découvrit de l'or en Californie, de nouveaux colons arrivèrent. On les appela les *Chercheurs d'or*.

Ci-dessous : deux des premiers colons arrivés en Amérique. Derrière eux, le *Mayflower*. Ces premiers arrivants s'installèrent en Virginie.

Pommes de terre

Feuille de tabac

Tomates

Maïs

Ci-dessus : quelques-unes des plantes que les colons découvrirent en Amérique du Nord.

Comment vivaient les colons?

Les colons construisaient des maisons. Ils labouraient la terre et faisaient pousser des récoltes. Les premières années furent souvent difficiles : les graines qu'ils avaient apportées ne poussaient pas bien sous ce nouveau climat. Les Indiens avaient bien accueilli les premiers colons. Mais quand les colons devinrent très nombreux, cela posa des problèmes : les Indiens ne pouvaient plus chasser sur les terres cultivées. Les grands troupeaux de bisons disparurent peu à peu. C'est ainsi que commença la guerre entre les Indiens et les Blancs.

Comment se déplaçaient les colons?

On disait que les terres étaient très riches dans l'Ouest de l'Amérique. De nombreux colons décidèrent de s'y rendre. Ils se déplaçaient dans des chariots bâchés, qui transportaient tous leurs biens. Le voyage était très long et fatigant. Il fallait franchir des montagnes et des rivières. Aussi les colons ne partaient-ils jamais seuls. Ils organisaient des caravanes et voyageaient tous ensemble. Le plus souvent, ils étaient guidés par quelques hommes. Il leur fallait plusieurs mois pour atteindre l'Ouest. Au cours du trajet, ils devaient affronter les attaques d'Indiens et de bandits.

En arrivant dans l'Ouest, ils prenaient possession de leur terre et l'entouraient de barbelés. Une nouvelle loi permettait à chaque personne d'obtenir 65 hectares de terrain. Quand une famille comptait 5 personnes, elle pouvait donc cultiver 325 hectares. Beaucoup de gens qui n'avaient jamais rien possédé profitèrent de cette occasion et partirent commencer une nouvelle vie dans l'Ouest.

Les cow-boys

Qui étaient les cow-boys?
Où vivaient-ils?

Cow-boy est un mot anglais qui signifie
« garçon vacher ». Les cow-boys étaient
chargés de surveiller les grands troupeaux
dans l'ouest américain.

Ce sont les Espagnols qui avaient apporté
le bétail en Amérique. Les vaches et les tau-
reaux s'étaient bien adaptés au climat et à
l'herbe grasse de la *prairie*. Des millions de
têtes de bétail paissaient dans des états
comme le Texas.

Les propriétaires laissaient leurs vaches en
liberté toute l'année. Les cow-boys étaient

chargés de les surveiller, de les compter,
puis de les conduire au marché.

Comment s'habillaient les
cow-boys?

Le dessin ci-dessous vous montre les vêtements habituels du cow-boy. Il porte un chapeau qui le protège du soleil et de la pluie.
Son pantalon de cuir lui permet de rester
pendant des heures à cheval. Il protège ses
jambes des cactus et des arbustes épineux. Le
cow-boy porte aussi des bottes à talon haut
qui maintiennent son pied dans l'étrier.

Le cow-boy ne se déplace jamais sans son
lasso. Il s'en sert pour rattraper le bétail
échappé.

Ci-dessous : les cow-boys mènent une vie rude et
fatigante. Ils passent des heures à cheval pour mener
les troupeaux. Le costume du cow-boy est adapté à son
métier. Son cheval est son bien le plus précieux.

Pourquoi marquait-on le bétail?

Les troupeaux paissaient tous ensemble sur la prairie. Mais ils appartenaient à des propriétaires différents. Pour reconnaître les bêtes, il fallait les marquer.

Chaque ranch avait une marque différente. On sculptait cette marque sur un fer, que l'on chauffait. Quand le fer était rouge, on l'appuyait sur le dos de l'animal. Le fer brûlait la peau et la marque était indélébile. On utilise toujours cette méthode aujourd'hui, pour empêcher le vol de bétail. Les cow-boys étaient chargés de marquer les veaux dès leur naissance. Ils devaient aussi vérifier toutes les marques avant de conduire le troupeau au marché.

Le dessin ci-dessous montre les cow-boys qui rassemblent leur troupeau.

Il fallait environ douze hommes pour mener 3 000 têtes de bétail. Les voyages duraient parfois plusieurs mois, à travers les montagnes et les déserts. Les bêtes ne pouvaient pas marcher beaucoup. Si elles faisaient plus de 30 kilomètres par jour, elles maigrissaient et ne valaient plus rien au marché.

En avançant, le troupeau déplaçait beaucoup de poussière. Les cow-boys se protégeaient les yeux et le nez grâce à leur foulard. Ils étaient toujours accompagnés d'une *roulante*. La roulante servait de cuisine et de garde-manger. Vous pouvez en voir une dans l'illustration ci-dessous.

Les marques de différents ranches

Les costumes d'autrefois

Pourquoi les adultes et les enfants portent-ils des vêtements différents?

Les enfants portent des habits plus simples que les adultes car leur vie n'est pas tout à fait la même. Les bébés, par exemple, ont besoin de vêtements chauds et confortables. Il faut qu'on puisse les enlever facilement pour changer leurs couches. Les enfants, eux, doivent pouvoir bouger et courir. Ce ne serait pas très commode pour une petite fille de porter des talons hauts.

Les adultes, par contre, portent des vêtements plus compliqués et souvent moins confortables. Ils suivent la mode. Mais autrefois, les enfants étaient habillés exactement comme les adultes.

Enfants français en 1066

Pourquoi les enfants étaient-ils autrefois habillés comme les adultes?

Autrefois, les enfants n'étaient pas traités comme des enfants. Ils n'avaient pas beaucoup de temps pour jouer. Dans les familles pauvres, les enfants aidaient leurs parents dès qu'ils savaient marcher. Ils participaient aux travaux des champs, aux moissons et aux labours. Ils aidaient aussi leur mère à la maison. Dans les familles plus riches, les enfants étaient élevés par des précepteurs ou des gouvernantes. Ils devaient se tenir très sages.

Les dessins de droite vous montrent comment s'habillaient les enfants au Moyen Age, puis en 1600 et en 1800. Les costumes des enfants sont les mêmes que ceux des adultes. Ils étaient très beaux, mais très malcommodes. La petite fille espagnole devait se sentir bien mal à l'aise.

Une fillette espagnole en 1600

Quand les enfants ont-ils porté des costumes différents?

Il y a près de deux cents ans que les enfants ont commencé à avoir leur propre costume. Les habits d'enfants devinrent plus souples et plus faciles à porter. On se mit à encourager les enfants à faire de l'exercice, à courir et à jouer. Il leur fallait donc des vêtements simples. Mais ils conservèrent de beaux habits qu'ils mettaient le dimanche ou les jours de fête.

54

Enfants anglais en 1800

Que portaient les filles au siècle dernier?

La fillette représentée ici va s'habiller. Regardez le nombre de vêtements qu'elle est obligée de mettre!

Elle enfile d'abord un corset rigide, qui la force à se tenir bien droite. Les jarretelles qui pendent du corset permettent d'attacher les bas de coton.

Par dessus le corset, la fillette met un chemisier, des culottes et un large jupon. Ensuite, elle enfile une jupe et un tablier blanc qu'elle noue avec une grande ceinture.

Pour sortir, elle doit toujours mettre un chapeau et des gants. Ses bottines sont fermées par une rangée de minuscules boutons de cuir.

Que portaient les garçons à la même époque?

Les garçons avaient plus de chance que les filles. Leurs vêtements étaient beaucoup plus simples. Ils portaient une veste, une chemise, des pantalons courts et de longues chaussettes. Certains garçons devaient mettre un col très dur à leur chemise. Jusqu'à l'âge de quatre ou cinq ans, les garçons portaient les cheveux longs et étaient vêtus de robes, comme les filles.

Tous les enfants portaient-ils les mêmes vêtements?

La mode était la même pour tous les enfants et leurs vêtements se ressemblaient. Mais les enfants des familles riches portaient des vêtements faits de beaux tissus, chauds pour l'hiver et légers en été. Les enfants pauvres se contentaient de tissus plus grossiers.

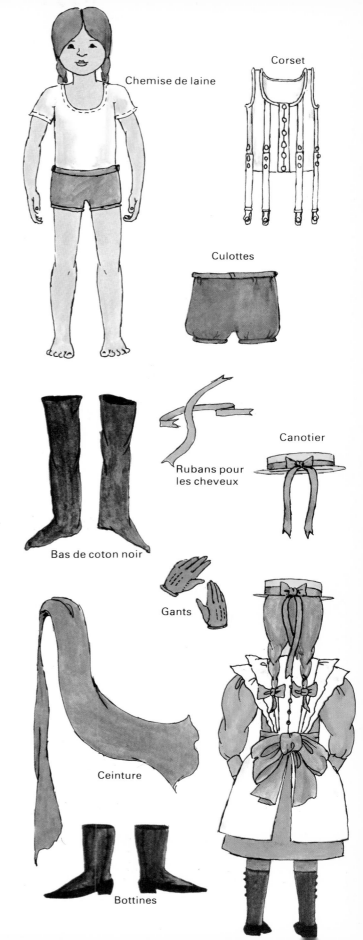

Chemise de laine

Corset

Culottes

Bas de coton noir

Rubans pour les cheveux

Canotier

Gants

Ceinture

Bottines

Une maison au XIXᵉ siècle

Grenier

Chambre de domestique

Placard à linge

Salle de bains

Entrée

Salle de billard

Qui habitait les grandes maisons?

Vous ne voyez qu'une partie de la maison sur ce dessin. La maison comportait donc deux fois plus de pièces au moins. La famille qui habitait cette maison était sans doute assez riche. Ils avaient quatre ou cinq chambres à coucher, un salon, une salle à manger, un fumoir et une salle de billard. On trouvait aussi la cuisine et l'office, ainsi que les chambres réservées aux domestiques.

Les murs étaient décorés avec du tissu ou du papier peint. Des tableaux et de nombreux bibelots précieux ornaient les pièces de réception et les chambres des maîtres de maison.

A quelle époque habitait-on des maisons de ce genre?

Cette maison fut probablement construite il y a deux cents ans. Mais sa décoration date du siècle dernier. Avant 1860, on ne trouvait pas de salles de bains dans les maisons. On prenait ses bains dans une baignoire portative, que l'on transportait d'une chambre à une autre.

Combien de domestiques travaillaient dans une maison comme celle-ci?

Il fallait au moins cinq domestiques pour entretenir une maison de cette taille. Il y avait une cuisinière, un valet de chambre et une femme de chambre, ainsi que deux ou trois serviteurs qui s'occupaient du nettoyage, de la lessive et des vaisselles. Au siècle dernier, les domestiques travaillaient quinze heures par jour. Ils se levaient tôt le matin, pour tout préparer. Il y avait souvent une gouvernante qui s'occupait uniquement des enfants de la famille.

Comment chauffait-on la maison pendant l'hiver?

Chaque pièce de la maison comportait une cheminée. La maison était donc chauffée au bois ou au charbon. Cela représentait beaucoup de travail pour les domestiques : il fallait monter le bois et le charbon dans toutes les chambres. Il fallait aussi allumer le feu chaque matin et enlever régulièrement les cendres des cheminées. Le domestique chargé des feux devait se lever à quatre heures tous les matins, pour que la maison soit chaude à huit heures.

Pourquoi les gens ne vivent-ils plus dans de grandes maisons?

Les grandes maisons demandaient beaucoup d'entretien. Il fallait de l'argent pour payer les travaux, la décoration et le bois de chauffage. Il fallait aussi pouvoir payer des domestiques.

De nos jours, les appareils ménagers permettent de travailler plus vite. Les gens n'ont plus assez de fortune pour entretenir de grandes maisons. Ils habitent des appartements ou de petites maisons.

Chambre à coucher

Les premiers bateaux

Les premiers bateaux étaient des pirogues creusées dans un tronc d'arbre, ou des coracles.

Les Égyptiens construisaient leurs bateaux en jonc. Ils furent les premiers à utiliser la voile.

A quoi ressemblaient les premiers bateaux?

Les tout premiers bateaux étaient de simples troncs d'arbre. Les hommes creusaient un trou dans le bois et s'asseyaient au milieu. Ils pouvaient alors pagayer et avancer.

Ensuite, les hommes fabriquèrent des *radeaux* : ils liaient de jeunes troncs, ou bien des joncs et des bambous.

Différents types d'embarcation apparurent peu à peu. Outre les radeaux, les hommes inventèrent les canoës, les *coracles* en peau et les *pirogues* en bois.

Comment les bateaux se sont-ils transformés?

Un jour, l'homme découvrit qu'il pouvait se servir du vent pour avancer. Il fabriqua alors une voile.

Les premiers bateaux à voile apparurent probablement en Égypte. C'est aussi en Égypte que l'on se servit pour la première fois de planches pour construire les bateaux. Les planches étaient plus stables que les troncs et avançaient plus vite. Sur ce genre de bateau, les Égyptiens firent le tour de la Méditerranée.

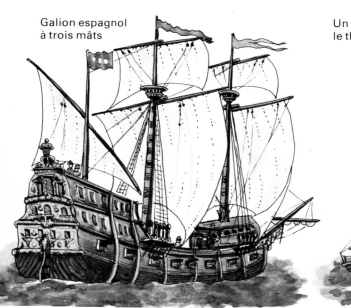

Galion espagnol
à trois mâts

Un des clippers qui apportaient
le thé d'Asie en Europe

Les Grecs construisaient de grandes galères à rames. Les rameurs étaient des esclaves.

Les Vikings étaient de grands marins. Ils parcoururent des milliers de kilomètres à bord de leurs drakkars.

Quand apparurent les premiers bateaux à moteur?

Les premiers moteurs marchaient à la vapeur. Les bateaux furent équipés de moteurs à vapeur dès le dix-neuvième siècle. Mais les bateaux à voile restaient très compétitifs. Un bon voilier allait plus vite que les premiers bateaux à moteur, et il coûtait beaucoup moins cher.

Quand on inventa les moteurs à hélices, les voiliers disparurent peu à peu. Aujourd'hui, ils ne servent plus qu'à la navigation de plaisance.

A quoi servaient les bateaux?

Le bateau était un moyen de transport indispensable. Autrefois, il n'y avait ni chemins de fer, ni automobiles. Tous les échanges commerciaux se faisaient par voie de mer. On commerçait beaucoup autour de la Méditerranée : les pays échangeaient du vin, de l'huile, du miel et des épices.

Les bateaux servaient aussi à l'exploration et à la guerre.

Un des premiers bateaux à vapeur qui traversaient l'Atlantique.

Les premiers trains

Voici une vieille locomotive
américaine. Les premiers trains
américains marchaient au bois et
non au charbon.
Les locomotives portaient alors une
sorte de bouclier à l'avant. Il servait
à dégager la voie, souvent
encombrée par les vaches.

Le dessin de droite montre les
dernières locomotives à vapeur. Il
ne reste presque plus de ces
machines aujourd'hui. Les trains
électriques sont plus propres.

Quand le premier train est-il apparu?

Le premier train de voyageurs a circulé en 1825, dans le nord de l'Angleterre. Des foules entières s'étaient rassemblées pour le voir passer. Un homme chevauchait à l'avant de la locomotive. Il portait un drapeau rouge, et s'assurait que la voie était dégagée.

En 50 ans, toute l'Europe fut équipée d'un réseau de voies ferrées. On creusa des tunnels, on éleva des ponts. C'était l'âge d'or du chemin de fer.

Comment voyageait-on dans les premiers trains?

Les wagons n'étaient pas fermés comme aujourd'hui. On voyageait à l'air libre. Il faisait parfois très froid et les passagers emportaient des briques chaudes pour réchauffer leurs pieds. Les voyageurs étaient très sales en descendant du train. Ils étaient recouverts de noir de fumée et de poussière de charbon.

Bientôt, on instaura des wagons de première classe. Ces wagons étaient fermés.

Voitures d'hier et d'aujourd'hui

Quand a-t-on fabriqué les premières voitures?

Les hommes ont cherché à faire des voitures dès l'apparition du moteur à vapeur. Mais les premières automobiles étaient très rudimentaires.

Les premières véritables voitures à moteur furent fabriquées en Allemagne, en 1880. Leurs inventeurs s'appelaient Daimler et Benz. La voiture représentée ci-contre est une Daimler. Elle a encore la forme d'une calèche.

Une voiture Daimler de 1886

Une des premières voitures de course

Une Delage française de 1913

Une Austin de 1922

La Mercédès Papillon de 1955

Tout le monde pouvait-il acheter une voiture?

Les premières voitures coûtaient très cher. Seuls les gens riches pouvaient en posséder.

En 1908, un Américain, Henry Ford, décida de construire des automobiles en série. Elles étaient d'un prix beaucoup moins élevé. Ces voitures étaient les Ford modèle T. En moins de vingt ans, les usines Ford en fabriquèrent 15 millions.

Un bus à deux étages de 1912

Comment marche le moteur d'une voiture?

Aujourd'hui, la plupart des voitures possèdent un moteur à essence.

Quand une étincelle touche le mélange d'essence et d'air, une explosion se produit. Pour faire tourner un moteur, il faut des milliers de petites explosions successives. Les explosions font marcher les cylindres. Les cylindres font tourner les roues. En appuyant sur la *pédale d'accélérateur*, le conducteur envoie davantage d'essence et d'air dans le moteur.

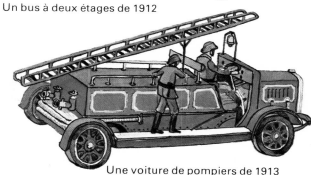

Une voiture de pompiers de 1913

Un camion de 1918

A quoi sert la batterie d'une voiture?

Les voitures ont besoin d'une batterie pour produire de l'électricité et faire fonctionner le démarreur. C'est aussi sur la batterie que sont branchés les phares et le klaxon.

Une Lotus Élan de 1965

Un camion citerne de 1923

Des voitures de tous les pays prennent part
aux grandes courses automobiles.

Quand ont commencé les courses automobiles?

Dès que la voiture a fait son apparition, les hommes ont organisé des courses automobiles. La première grande compétition eut lieu en France, en 1895. Les voitures devaient parcourir 1 178 kilomètres, sur le trajet Paris-Bordeaux-Paris. Il y avait 13 voitures à essence, 6 voitures à vapeur et une voiture électrique engagées dans la course. Le vain-queur conduisait une Panhard à essence. Il remporta la course en roulant à une vitesse moyenne de 24 kilomètres à l'heure.

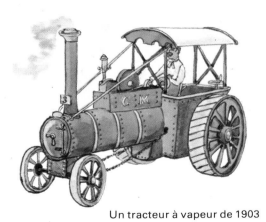

Un tracteur à vapeur de 1903

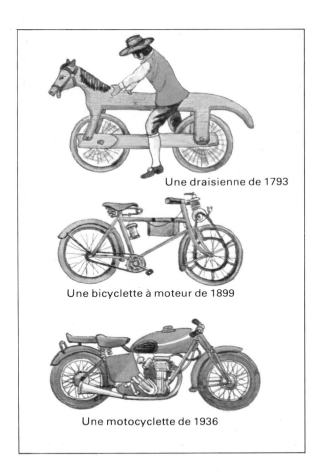

Une draisienne de 1793

Une bicyclette à moteur de 1899

Une motocyclette de 1936

Qu'est-ce qui est indispensable sur une voiture?

Chaque voiture possède une *boîte de vitesses*. C'est grâce à la boîte de vitesses que le moteur change de rythme. Le conducteur peut alors accélérer ou freiner, monter une côte ou reculer. Certaines automobiles ont des vitesses automatiques, qui passent toutes seules. Le *circuit de refroidissement* est indispensable sur une voiture : un ventilateur refroidit l'eau qui court dans les tuyaux tout autour du moteur. Ainsi, le moteur ne chauffe pas trop.

Le moteur a également besoin d'huile. Chaque pièce du moteur doit être graissée. Si elle ne l'était pas, elle s'abîmerait et ferait beaucoup de bruit en fonctionnant.

Quand apparurent les premières motocyclettes?

Les premiers engins à deux roues étaient de simples sièges à roulettes. On s'asseyait dessus et on les faisait avancer en poussant avec les pieds. Ils n'avaient pas de pédales. On les appelait des *draisiennes*. La première bicyclette apparut en 1865. Elle était très inconfortable, parce qu'il n'y avait pas de ressorts sous la selle. Les bicyclettes que nous connaissons furent inventées en 1880. Leur roue arrière était entraînée par une chaîne et les pneus étaient gonflés d'air.

Un jour, quelqu'un eut l'idée d'installer un moteur sur une bicyclette. Daimler, le premier constructeur automobile, construisit aussi l'une des premières motocyclettes en 1885.

Une Rolls Royce de 1925

Icare est monté trop près du soleil.

L'homme apprend à voler

Envol d'une montgolfière

Qui était Icare?

L'homme a toujours rêvé de pouvoir voler. Une légende grecque très ancienne raconte l'histoire d'un homme qui voulait s'envoler : Icare et son père Dédale s'étaient fabriqués des ailes; ils avaient collé des plumes à leurs bras avec de la cire. Dédale et Icare avaient ainsi réussi à s'envoler. Mais Icare fut grisé par son succès. Il monta si haut dans le ciel qu'il s'approcha du soleil. La cire fondit sous la chaleur des rayons, et Icare tomba dans une mer qui porte aujourd'hui son nom.

Quand les hommes ont-ils commencé à voler?

La première machine volante fut inventée en 1783. C'était un ballon fabriqué par deux Français, les frères Montgolfier. Le ballon était rempli d'air chaud et s'envolait dans le ciel. Quand l'air refroidissait, le ballon redescendait. Bientôt, on accrocha une nacelle à ce ballon. La personne qui montait dans la nacelle pouvait régler la quantité d'air chaud du ballon. Pour la première fois, l'homme réussissait à s'élever dans les airs.

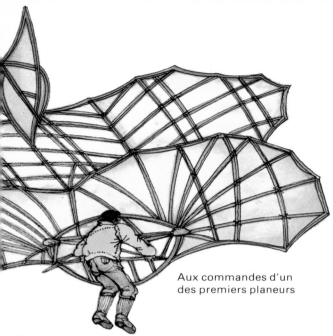

Aux commandes d'un
des premiers planeurs

Pourquoi a-t-on fabriqué des planeurs?

Dans les années qui suivirent l'invention de la montgolfière, on fit toutes sortes d'expériences : on tenta d'accrocher un moteur sur des ailes. Mais le moteur était toujours trop lourd. Il empêchait l'aile de décoller.

On fabriqua alors des planeurs. Il fallait s'élancer d'une montagne pour pouvoir décoller. Nous utilisons encore cette technique aujourd'hui, avec l'aile delta (deltaplane).

Qui construisit le premier avion à moteur?

C'est un ingénieur français, Clément Ader, qui est considéré comme « le père de l'aviation ». En 1890, à bord d'un appareil qu'il avait conçu et appelé « avion », il quitta le sol et parcourut une cinquantaine de mètres en l'air, réalisant le premier envol en aéroplane.

Il fut suivi par deux Américains, les frères Wright, qui tenaient un magasin de cycles à Dayton aux États-Unis. Dès qu'ils avaient un peu de temps libre, ils fabriquaient des planeurs et tentaient de voler.

Un jour, ils posèrent des hélices et un moteur à essence sur un de leurs planeurs. Le 17 décembre 1903, Orville Wright s'allongea aux commandes de son avion, le *Flyer*. Son frère Wilbur courait à côté de l'avion. Soudain, le *Flyer* rebondit puis décolla. Ce jour-là, il ne vola que 37 mètres.

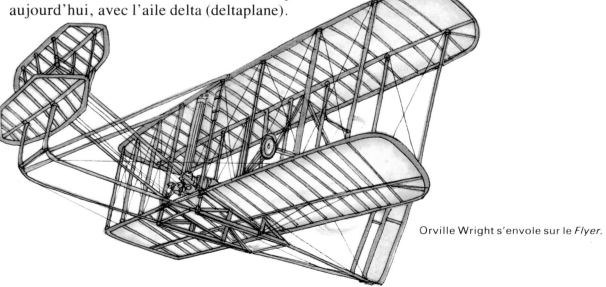

Orville Wright s'envole sur le *Flyer*.

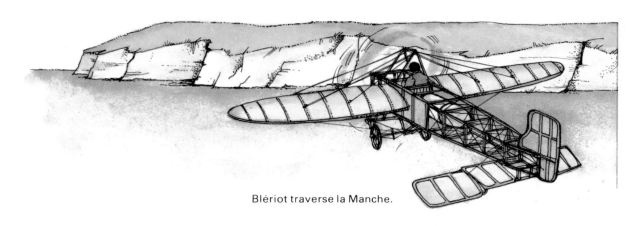
Blériot traverse la Manche.

Les avions de notre époque

Qui fut le premier à voler au-dessus de la Manche?

Après le succès d'Orville Wright, on fabriqua toutes sortes de machines volantes.

Pour la première fois, en 1909, un aviateur français franchit la Manche en avion. Il s'appelait Louis Blériot. Il décolla de Calais et, vingt-sept minutes plus tard, il atterrissait dans le sud de l'Angleterre. Louis Blériot remporta un prix de 1 000 Livres Sterling pour cet exploit.

Qui fut le premier à voler au-dessus de l'Océan Atlantique?

La victoire de Blériot encouragea de nombreux aviateurs.

En 1919, deux hommes décidèrent de franchir l'Atlantique. Ils décollèrent à bord d'un ancien bombardier de la Première Guerre mondiale. Partis du Canada, ils atterrirent en Irlande. En 1927, l'aviateur Charles Lindbergh quitta Paris pour rejoindre New York. Il fut le premier à franchir l'océan seul à bord de son avion. Lorsqu'il se posa à Paris, près de 100 000 personnes étaient rassemblées pour l'applaudir.

A quoi ressemblaient les premiers avions de ligne?

Les premiers avions de lignes étaient d'anciens bombardiers de la guerre de 1914 auxquels on avait ajouté des sièges. A cette époque, les avions ne possédaient pas de radio. Le pilote se guidait en regardant le sol. Les passagers et l'équipage se trouvaient à l'air libre.

Par la suite, autour de 1920, les avions devinrent plus confortables. Les passagers eurent droit à une cabine.

Jusqu'à la Seconde Guerre mondiale, tous les avions étaient propulsés par des moteurs à hélices.

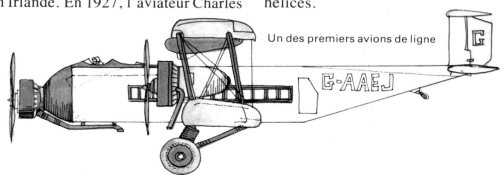
Un des premiers avions de ligne

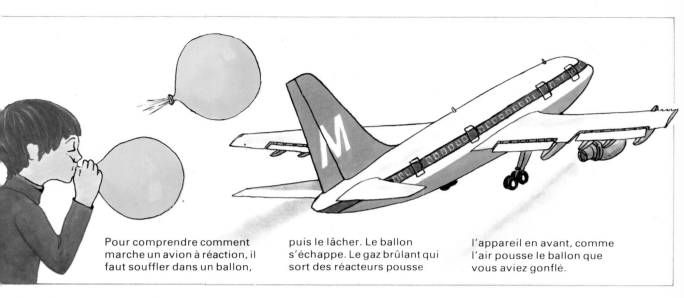

Pour comprendre comment
marche un avion à réaction, il
faut souffler dans un ballon,

puis le lâcher. Le ballon
s'échappe. Le gaz brûlant qui
sort des réacteurs pousse

l'appareil en avant, comme
l'air pousse le ballon que
vous aviez gonflé.

Quelle est la différence entre les avions à hélices et les avions à réaction?

Un avion à hélices possède un moteur semblable à celui d'une voiture. Au lieu de faire tourner des roues, le moteur d'avion fait tourner les hélices.

Un avion à réaction est conçu de façon tout à fait différente : l'air est aspiré, mélangé à du kérosène, puis comprimé. Le mélange d'air et de kérosène brûle violemment. Il produit un gaz très chaud qui s'échappe par l'arrière du moteur. Ce gaz propulse l'avion en avant.

Un des premiers hélicoptères

Le Jumbo Jet représenté ici peut transporter 400 personnes à la vitesse de 980 kilomètres à l'heure. Il contient une quantité d'essence qui permettrait à 40 voitures de faire le tour du monde.

LES ANIMAUX ET LES PLANTES

Nos amies les bêtes

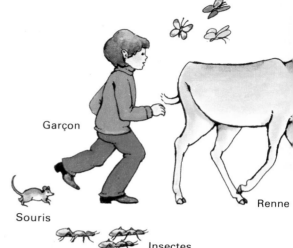

Papillons

Qu'est-ce qu'un animal?

Les animaux sont des êtres vivants, comme les hommes et les plantes. Mais les plantes trouvent leur nourriture dans la terre, par leurs racines. Les animaux, eux, ont besoin de se déplacer pour se nourrir. Il y a des animaux qui rampent, d'autres qui courent, volent ou sautent.

Plus d'un million d'animaux de différentes races vivent sur la terre.

Garçon

Souris

Renne

Insectes

Comment respirent les animaux?

La plupart des animaux ont besoin de l'oxygène contenu dans l'air pour vivre. Certains, comme les insectes et les vers de terre, respirent uniquement par la peau. Les poissons, eux, respirent

Les animaux se déplacent de différentes façons. Certains rampent; d'autres sautent, volent, marchent ou galopent. Les hommes font partie des rares animaux qui marchent sur leurs pattes de derrière.

Comment naissent les animaux?

Les oiseaux et la plupart des reptiles pondent des œufs. Les petits se nourrissent de la chair de l'œuf, puis éclosent quand ils sont grands.

Nid d'oiseau

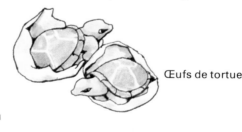

Œufs de tortue

Zèbres

Les mammifères donnent naissance à des petits déjà vivants. Le jeune mammifère grandit dans le ventre de sa mère. Après sa naissance, la mère l'allaite durant quelques mois. La plupart des jeunes mammifères peuvent vivre seuls au bout de quelques semaines. Les éléphants et les tigres élèvent leurs petits pendant un an. L'homme garde souvent ses enfants pendant près de vingt ans.

Oiseau

Yack

Cheval

Chat

grâce à leurs branchies qui aspirent l'oxygène contenu dans l'eau. Les mammifères, depuis les dauphins jusqu'aux hommes, ont besoin de poumons pour respirer.

Que mangent les animaux?

Les herbivores, comme les vaches ou les girafes, se nourrissent de plantes. Les carnivores comme le chien ou le tigre mangent de la viande. L'ours, comme l'homme et le cochon, mange de tout.

Les animaux atteignent rapidement leur taille adulte. Une girafe mesure 1 m 50 à la naissance et pèse 70 kilos. Lorsqu'elle a grandi, elle peut atteindre 6 mètres et peser 900 kilos.

73

Le monde des dinosaures

Qu'est-ce qu'un dinosaure?

Les dinosaures étaient des reptiles. Comme tous les reptiles, ils avaient le corps recouvert d'écailles. Ils pondaient des œufs d'où éclosaient leurs petits. Certains dinosaures étaient aussi grands qu'un immeuble de quatre étages et aussi lourds que vingt éléphants réunis. Ils ont vécu sur la terre bien avant l'homme, pendant des millions d'années.

Quels étaient les plus grands des dinosaures?

Le *Diplodocus* et le *Brachiosaure* étaient les plus grands des dinosaures. Tous deux étaient des herbivores. Le *Diplodocus* utilisait sa queue comme arme de défense.

Le stégosaure avait de larges écailles sur le dos.

L'orthinomime était un petit dinosaure.

Le tyrannosaure était un dinosaure carnivore.

74

Que savons-nous des dinosaures?

Avant l'apparition des dinosaures, les reptiles ne se déplaçaient qu'en rampant sur le ventre, comme les serpents d'aujourd'hui.

Les dinosaures, eux, possédaient des pattes, comme les mammifères. Ils pouvaient donc se tenir debout, marcher et courir. Les dinosaures étaient beaucoup plus agiles et rapides que les autres reptiles.

Certains dinosaures étaient herbivores, comme le Diplodocus. D'autres, comme le *Tyrannosaure*, étaient des carnivores. Les dinosaures disparurent de la terre à la fin de l'ère secondaire, il y a 65 millions d'années.

Ci-dessus : le ptéranodon était un reptile. Il a peu à peu appris à voler. Il ne battait pas des ailes, il planait en se servant des courants d'air chauds et froids. Le dessin montre que le ptéranodon avait encore des bras et des pattes sous ses ailes.

Ci-dessous : de nouvelles plantes firent leur apparition au temps des dinosaures. Les premiers mammifères vivaient au même moment que les premiers dinosaures, mais ils étaient très petits. Ils craignaient les reptiles carnivores.

Le diplodocus était un dinosaure herbivore.

La fin
des dinosaures

Ci-dessus : le Triceratops était un dinosaure herbivore. Ses défenses le protégeaient contre ses ennemis. Son corps était recouvert d'une carapace.

Où vivaient les dinosaures?

La plupart des dinosaures vivaient sur la terre ferme. Mais certains d'entre eux apprirent à voler. Ils furent les ancêtres des oiseaux que nous connaissons.

D'autres dinosaures habitaient les mers. Nous savons aujourd'hui que la vie a commencé dans l'eau. Quelques reptiles se sont adaptés à cet élément. Ils se nourrissaient de poisson, ou bien de vers et de plantes aquatiques.

Le dinosaure représenté sur le dessin ci-dessous est un *Plésiosaure*. Le Plésiosaure vivait dans la mer et se nourrissait de poisson. Ses nageoires avaient la forme de grandes palmes et sa queue lui servait de gouvernail.

Certaines personnes prétendent que le monstre du Loch Ness, en Écosse, est un Plésiosaure, mais les Plésiosaures ont disparu il y a 65 millions d'années...

Pourquoi les dinosaures ont-ils disparu de la terre?

Les dinosaures ont vécu sur la terre plus longtemps qu'aucune autre créature. Ils étaient donc parfaitement adaptés. Personne ne sait exactement pourquoi ils ont soudain disparu. On pense que le climat a pu changer et qu'ils n'ont pas supporté le froid. Peut-être aussi ont-ils été empoisonnés par de nouvelles plantes. Mais leur disparition a sans doute été moins brutale qu'on ne le croit.

Le plésiosaure vivait sous l'eau et se nourrissait de poisson.

76

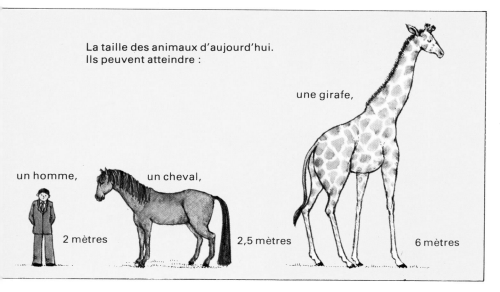

La taille des animaux d'aujourd'hui.
Ils peuvent atteindre :

une girafe,

un homme,

un cheval,

2 mètres

2,5 mètres

6 mètres

A gauche : certains dinosaures étaient bien plus grands que les plus grands animaux que nous connaissons. Le Brachiosaure pouvait atteindre 12,6 m, deux fois la hauteur d'une girafe, mais d'autres dinosaures atteignaient à peine la taille d'un poulet.

Comment savons-nous à quoi ressemblaient les dinosaures?

Nous connaissons l'aspect des dinosaures grâce aux *fossiles*. Les deux dessins de cette page expliquent comment se forme un fossile :

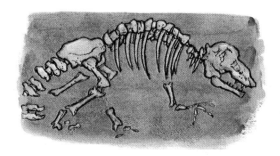

un dinosaure s'allonge dans la boue pour mourir. La boue le recouvre complètement.

Peu à peu, au long des siècles, la boue sèche et se transforme en pierre. Les os du dinosaure s'incrustent dans cette pierre.

C'est un fossile. Plus tard, si la terre bouge un peu, le fossile peut remonter à la surface. C'est ainsi que les savants peuvent l'étudier. Ils recueillent les os fossilisés, et essaient de reconstituer le squelette entier. Tous les morceaux sont nettoyés et examinés. On les compare avec les os des animaux de notre époque. Parfois, il manque des os. On s'aide alors d'un autre fossile pour reconstituer le

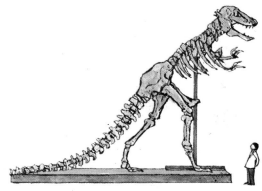

squelette. Les savants peuvent aussi déterminer l'âge du fossile en examinant la pierre. Vous voyez ici le dessin d'un squelette de tyrannosaure. Regardez sa taille par rapport à celle d'un homme! Le squelette reconstitué donne une idée de la taille et de l'aspect du tyrannosaure. Mais on ne connaîtra jamais la couleur de sa peau.

Les animaux des pays froids

Que mangent les phoques?

Quatre espèces de phoques vivent autour du pôle Nord et du pôle Sud. Le phoque de Weddell plonge à plus de 500 mètres de profondeur pour pêcher. Le léopard des mers se nourrit de manchots. Le phoque crabier, l'espèce la plus répandue, mange non pas des crabes, mais des crevettes et des petits crustacés qu'on appelle le *krill*. Le phoque de Ross se nourrit de calmars. Les phoques se reproduisent sur la glace, et grandissent extrêmement vite. En six semaines, ils atteignent leur poids d'adulte.

Ci-dessus : le phoque à capuchon peut gonfler la peau qu'il porte au sommet de sa tête.

Ci-dessous : l'éléphant de mer tire son nom de son nez crochu. Ce nez ressemble un peu à une trompe.

Les animaux changent-ils de pelage en hiver?

Certains animaux des pays froids changent de pelage en hiver. Leur fourrure devient blanche comme la neige. Ils peuvent ainsi échapper à leurs ennemis. Le renard polaire, l'hermine et la perdrix des neiges changent tous trois de couleur en hiver.

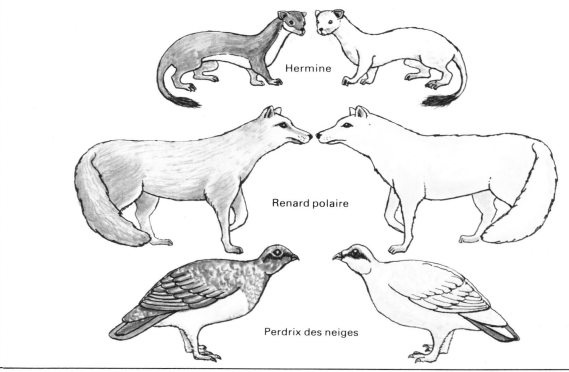

Hermine

Renard polaire

Perdrix des neiges

L'ours polaire se nourrit de poisson et de phoques. Il ne mange que de la viande.

Le caribou émigre en hiver. Il fait des centaines de kilomètres vers le sud.

Le harfang des neiges se nourrit de rongeurs.

Le bœuf musqué est protégé du froid par un pelage très épais.

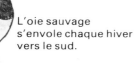

L'oie sauvage s'envole chaque hiver vers le sud.

Les phoques restent-ils longtemps sous l'eau?

Comme tous les mammifères, les phoques et les otaries ont besoin de remplir leurs poumons d'air pour respirer. Mais ils peuvent nager et pêcher sous l'eau beaucoup plus longtemps que la plupart des autres mammifères. Certains phoques de l'Antarctique demeurent près de 40 minutes sous l'eau s'ils le veulent.

Où vivent les rennes?

Le renne est une sorte de cerf. Il habite dans les pays arctiques, au nord de l'Europe et en Russie. Les Lapons élèvent d'immenses troupeaux de rennes. Le renne fournit de la viande et du cuir, ainsi que du lait. Il peut aussi tirer les traîneaux.

Le *caribou* est un renne qui vit en Amérique du Nord, au Canada. Son nom lui a été donné par les Indiens.

L'ours polaire creuse des trous dans la glace pour abriter ses oursons. Deux oursons naissent en janvier. Ils sont à peine plus gros que des cochons d'Inde.

Les oursons sont élevés par leur mère jusqu'à l'été suivant.

Les ours polaires savent nager sous l'eau, mais ils nagent le plus souvent comme des chiens, la tête hors de l'eau.

79

Pingouins et manchots

Le manchot empereur

Le manchot macaroni

Le manchot royal

Le manchot péruvien

Est-ce un pingouin ou un manchot?

Il n'y a jamais eu sur terre que deux races de pingouins. La première, qu'on appelle le Grand Pingouin, habitait l'hémisphère nord. Les Grands Pingouins étaient capables de voler. Ils ont été exterminés par l'homme et ont disparu.

Les Petits Pingouins apparaissent parfois sur les côtes de Bretagne ou d'Irlande. Mais ils sont peu nombreux.

Les manchots n'habitent que l'hémisphère sud. Ils sont incapables de voler, mais nagent parfaitement bien. Sur terre, ils se déplacent maladroitement, en se dandinant.

Les manchots ont le corps recouvert d'une épaisse couche de graisse et de plumes. La graisse conserve la chaleur et les plumes pro-tègent de l'eau et du vent. L'été, quand il fait moins froid, les manchots écartent leurs ailes pour se rafraîchir.

Comment vivent les manchots?

Les manchots vivent en colonies, c'est-à-dire en groupes nombreux. Les deux races les plus répandues sont le Manchot Empereur et le Manchot Adélie. La colonie des îles Coul-man comprend près de 50 000 Manchots-Empereur. Lorsqu'ils sont sur la banquise, ils semblent s'amuser. On les voit parfois marcher en rang, ou faire des glissades. Les manchots ne sont pas craintifs. On peut s'en approcher facilement.

Les manchots construisent-ils des nids?

La plupart des manchots construisent leur nid à terre. Mais le Manchot Empereur et le Manchot Royal ne construisent pas de nid. La femelle pond un œuf sur la banquise. Le mâle protège l'œuf par un repli de sa peau, juste au-dessus de ses pieds. Il reste ainsi pendant 60 jours, sans bouger ni manger. Lorsque naît le jeune manchot, la femelle vient s'en occuper. Le mâle peut alors partir en quête de nourriture. Les jeunes manchots sont groupés en *crèches*, sous la surveillance de quelques adultes. Ils sont recouverts d'un épais duvet et se serrent les uns contre les autres pour se tenir chaud. Bien qu'ils se ressemblent beaucoup, leurs parents les reconnaissent très bien.

Les manchots de Terre Adélie construisent leur nid avec de petits cailloux. A l'époque des amours, le mâle offre un caillou à la femelle. Si elle accepte le caillou, cela signifie qu'elle accepte le mâle. Les deux manchots fabriquent leur nid ensemble. Ces nids sont parfois très éloignés de la mer.

Les manchots sont d'excellents nageurs. L'eau est leur élément préféré. Sur terre, ils se déplacent maladroitement.

manchots s'amusent ire des glissades.

Les manchots ne peuvent pas voler. Leurs ailes servent de nageoires.

Ils marchent et ils courent.

Ils nagent.

Ils sautent dans l'eau.

Ils sautent hors de l'eau.

Ils plongent et avancent grâce à leurs nageoires.

Les castors

Où vivent les castors?

Les castors construisent leur maison sur des rivières ou sur des lacs, mais ils vont chercher leur nourriture sur les berges. Ils ont besoin d'eau pour vivre; mais il leur faut aussi du bois. Ils rongent les troncs et utilisent les branches pour construire leur maison ou leurs barrages.

Les castors sont d'excellents nageurs, mais ils ne peuvent pas respirer sous l'eau. Leurs *huttes* sont donc toujours construites au-dessus de l'eau, mais on y entre par des couloirs sous-marins. Ces couloirs permettent au castor d'échapper à ses ennemis.

Lorsqu'un castor est menacé, par un loup ou par un autre animal, il se précipite à l'eau. Avant de plonger, il frappe l'eau avec sa queue. Ce bruit alerte tous les autres castors. Ensuite, il plonge et regagne sa hutte. Un castor peut demeurer quinze minutes sous l'eau sans respirer.

La fourrure du castor est épaisse et imperméable. Le castor ferme ses narines et ses oreilles lorsqu'il nage sous l'eau. Sa queue lui sert de gouvernail.

Quel genre d'animal est le castor?
Pourquoi est-il différent des autres?

Le castor est un rongeur, comme le rat ou la souris. Comme tous les rongeurs, il possède de longues incisives. Ses pattes avant lui permettent de tenir sa nourriture. Mais contrairement aux autres rongeurs, le castor a des pattes arrière palmées, comme celles d'un canard. Ces pattes lui permettent de nager très vite. Elles lui sont aussi très utiles lorsqu'il veut se tenir debout pour ronger un tronc d'arbre. La queue du castor est plate. Elle lui sert de point d'appui lorsqu'il est debout et de gouvernail lorsqu'il nage.

Les pattes arrière des castors sont palmées.

Pourquoi les castors abattent-ils des arbres?

Les huttes des castors sont construites sur l'eau. Il faut donc que l'eau soit toujours au même niveau, pour que la hutte ne soit pas inondée et pour que les entrées restent praticables. Les castors construisent des barrages pour canaliser l'eau des rivières.

Ces barrages sont construits avec des branches et des troncs d'arbres, que les castors coupent avec leurs dents. Les castors peuvent faire des ravages dans une forêt. Un seul d'entre eux abat un arbre de taille moyenne en vingt minutes!

Ensuite, le castor traîne le tronc jusqu'à l'eau. Il fabrique son barrage en entremêlant les branches.

Les maisons aussi sont faites de branches collées par la boue.

Autrefois, on trouvait des castors en Asie et en Europe. Aujourd'hui, ils ne vivent plus qu'en Amérique et en Suède.

Les animaux d'Afrique

Comment vivent les babouins?

Les babouins vivent en groupes. Ils sont généralement entre vingt et quatre-vingts, mais certains groupes comptent jusqu'à 150 babouins.

Le mâle le plus fort dirige le groupe. Les mâles les plus faibles et toutes les femelles lui doivent obéissance. Le chef fait régner l'ordre. Il assure aussi la protection des femelles et des jeunes. Les babouins se déplacent toujours ensemble. Ils s'installent souvent à proximité d'un troupeau d'antilopes.

Les antilopes sont très vives. Elles réagissent immédiatement à l'approche d'un danger. Cela sert de signal aux babouins. En contrepartie, les babouins chassent les léopards et les guépards.

Pourquoi les zèbres sont-ils rayés?

Les troupeaux de zèbres sont très difficiles à apercevoir de loin. Leurs rayures sont un merveilleux camouflage. Chaque zèbre a des

Zèbres

Éléphant

Gazelle

Phacochères

Hyène

Lion

Léopard

Vautour

Chacal

Ci-dessus : ces dessins représentent quelques mammifères de la savane africaine. Le lion et le léopard sont des félins. Le chacal et la hyène sont des charognards.

Babouins

Lions

Serpent

Marabout

rayures différentes de celles de son voisin, de même que nous avons tous des empreintes digitales différentes.

Qui sont les charognards? Comment se nourrissent-ils?

Les *charognards* sont des animaux qui ne tuent pas eux-mêmes pour se nourrir. Ils mangent les restes laissés par les lions ou les autres carnivores. Un groupe de hyènes parvient même à chasser un lion pour dévorer à sa place la proie qu'il allait manger.

Lorsqu'ils sont vraiment affamés, les hyènes et les chacals chassent eux-mêmes. Ils épuisent leur proie en la poursuivant indéfiniment, jusqu'à ce qu'elle s'écroule de fatigue.

Il y a aussi des charognards parmi les oiseaux. Les vautours et les marabouts se nourrissent également de cadavres et des restes des lions. Ces animaux sont extrêmement utiles. Ils ont un aspect souvent déplaisant, mais, grâce à eux, la savane reste propre.

85

Comment les animaux d'Afrique se partagent-ils la nourriture?

Beaucoup d'animaux d'Afrique sont des herbivores. Ils se nourrissent de plantes, de feuilles et d'herbe. La savane est couverte d'une herbe sèche et épaisse, de petits arbustes et de quelques arbres. Si tous les herbivores mangeaient les mêmes plantes, la végétation ne suffirait pas à les nourrir. Aussi se partagent-ils leur nourriture : les antilopes broutent l'herbe fine; les zèbres se contentent d'herbe plus épaisse. Les rhinocéros mangent des buissons. Les éléphants et les girafes peuvent atteindre les feuilles des arbres. Mais eux aussi se partagent leur nourriture : les girafes mangent les feuilles les plus hautes et laissent les plus basses aux éléphants.

Girafe

Éléphant

Rhinocéros

Tisserins

Autruche

Buffle

Ci-dessous : les régions tropicales d'Afrique où poussent de l'herbe et quelques arbres sont appelées la savane. Beaucoup de gros animaux vivent dans la savane, y compris le plus gros animal terrestre : l'éléphant. Les girafes rôdent à proximité des arbres. Les animaux les plus courants dans les plaines sont les antilopes à la famille desquelles appartiennent les élands, les impalas et les gnous.

Qui sont les tisserins?

Le tisserin est un oiseau d'Afrique qui ressemble un peu à un moineau. On l'appelle tisserin parce qu'il tisse un nid magnifique, à l'aide d'herbes et de feuilles. Le nid du tisserin est rond, avec une entrée en forme de tube. On trouve parfois cinquante ou soixante nids sur le même arbre.

Quel est l'animal le plus rapide?

Le guépard est l'animal le plus rapide du monde. Il peut atteindre la vitesse de 114 kilomètres à l'heure sur de courtes distances, mais il ne peut pas courir très longtemps à ce rythme, aussi doit-il attraper sa proie sans attendre.

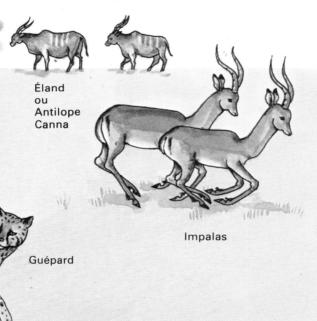

Girafe

Éland ou Antilope Canna

Impalas

Guépard

Singe vert ou Grivet

La girafe est-elle bien adaptée à la vie africaine?

La girafe est bâtie pour vivre dans les grandes plaines d'Afrique. Elle a de longues jambes, qui lui permettent de courir très vite. Grâce à son cou immense, elle peut atteindre les feuilles les plus hautes. En saison sèche, la girafe parvient à se passer d'eau pendant plusieurs jours. Elle est désaltérée par le jus des feuilles dont elle se nourrit.

Malgré la longueur de son cou, la girafe a le même nombre de vertèbres que nous. Mais chacune de ces vertèbres mesure plus de quarante centimètres.

Dans la jungle

Comment les pythons se nourrissent-ils?

Les pythons sont d'énormes serpents. Ils vivent en Afrique et en Asie. Certains pythons peuvent atteindre une longueur de neuf mètres. Ils se nourrissent surtout de petits mammifères. Mais les plus grands d'entre eux tuent parfois de jeunes antilopes. Tous les pythons étouffent leur proie.

Qu'est-ce qu'un okapi?

L'okapi appartient à la même famille que la girafe, mais il est beaucoup plus petit. Il ressemble un peu à un cheval. L'okapi est un animal timide et tranquille. Les zoologistes n'ont découvert son existence qu'en 1901. Comme la girafe, l'okapi possède de petites cornes recouvertes de peau.

Pourquoi les hippopotames bâillent-ils?

Les hippopotames passent la majeure partie de leur temps dans l'eau. Ils ouvrent parfois la bouche en grand, comme s'ils bâillaient. En fait, ce geste signifie qu'ils sont irrités. Lorsque les mâles se battent entre eux, ils peuvent s'infliger de profondes blessures avec leurs dents.

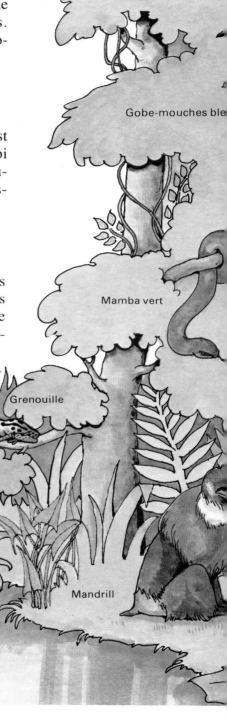

Perroquets gris

Gobe-mouches ble

Mamba vert

Grenouille

Spatule

Bec-en-sabot

Mandrill

Hippopotame

Python

Potto

Diane

Touraco

Léopard

Chimpanzé

Caméléon

Gorille

Okapi

Des animaux étranges

Paresseux

Pourquoi les paresseux se suspendent-ils la tête en bas?

Les pattes du paresseux sont armées de longues griffes. Les paresseux s'en servent lorsqu'ils grimpent aux arbres. Les paresseux vivent en Amérique tropicale. Ils pèsent près de quatre kilos. Ils se déplacent facilement la tête en bas, car c'est une position commode pour eux : leurs griffes, leurs longues pattes et leur queue assurent un parfait équilibre. On les appelle des paresseux parce qu'ils se déplacent très lentement, comme s'ils étaient toujours fatigués.

Pourquoi les pangolins se roulent-ils en boule?

Le pangolin a le corps recouvert d'écailles protectrices. Comme le paresseux, il se suspend aux arbres en se tenant par la queue. Si un danger le menace, il se roule en boule comme un hérisson. Lorsqu'une mère veut protéger son petit, elle s'enroule autour de lui.

Les pangolins sont des herbivores. Ils vivent en Afrique et en Asie.

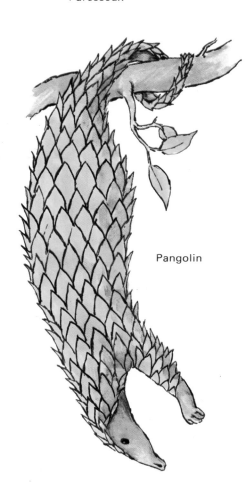

Pangolin

Un pangolin roulé en boule

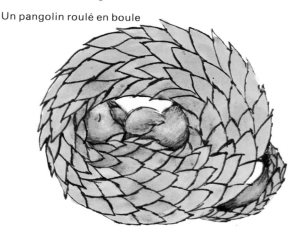

Pourquoi les mouffettes sentent-elles mauvais?

Les mouffettes répandent une odeur épouvantable pour écarter leurs ennemis. Cette odeur est si repoussante que ce procédé est très efficace.

La mouffette possède un pelage noir et blanc qu'on reconnaît de loin, aussi les autres animaux se gardent-ils d'approcher. Si un ennemi arrive, la mouffette lève la queue et projette un liquide. Ce liquide se répand sur deux mètres alentour. Il imprègne tout ce qu'il touche. L'odeur persiste pendant plusieurs jours. Seules les mouffettes la trouvent agréable. Ce moyen de défense est si remarquable que la mouffette est rarement attaquée. Seules les chouettes représentent un danger pour elle. La chouette peut se précipiter sur une mouffette et la saisir avant qu'elle ait le temps de projeter son liquide défensif.

Mouffette

Quel est l'oiseau qui pond ses œufs au fond d'un trou?

Le macareux est un oiseau marin. On l'appelle aussi l'oiseau-clown, à cause des couleurs qui ornent son bec à la saison des amours. La femelle ne pond qu'un seul œuf, dans un trou de près d'un mètre de profondeur.

Quels sont les animaux dont la queue repousse?

Certains lézards ont un moyen étrange pour échapper à leurs ennemis. Lorsqu'on leur mord la queue, ils s'enfuient, en abandonnant leur queue dans le bec de leur ennemi. Au bout d'un certain temps, leur queue repousse.

Macareux

La queue du lézard

Quelques animaux d'Australie

Pourquoi les kangourous ont-ils une poche?

Les kangourous appartiennent à un groupe de mammifères qu'on appelle les *marsupiaux*. Lorsque le jeune kangourou vient au monde, il est nu et aveugle. Il se précipite dans la poche de sa mère et tête son lait. Le bébé kangourou grandit dans cette poche. Il n'en sort qu'au bout de cinq mois. Puis il quitte définitivement cet abri à l'âge de six mois.

L'opossum appartient à la famille des kangourous. Il vit sur les arbres. Ses pattes sont munies de larges griffes qui peuvent s'agripper aux branches.

Le jeune kangourou grandit dans la poche de sa mère. Il en sort au bout de cinq mois.

Le koala est un marsupial, comme le kangourou et l'opossum. Le jeune koala s'accroche au dos de sa mère lorsqu'elle grimpe aux arbres.

Dès qu'un bébé kangourou abandonne la poche maternelle, il est remplacé par un nouveau bébé. Le kangourou se déplace en sautant, grâce à ses longues pattes postérieures. Sa queue lui sert de point d'appui. Lorsqu'il combat, le kangourou se sert de ses pattes avant, comme le ferait un boxeur.

Quel est l'animal qui nage comme un poisson, qui pond des œufs comme un canard et qui est couvert de fourrure comme un mammifère?

L'ornythorinque est l'un des rares mammifères qui pondent des œufs. Il vit au bord des fleuves et des rivières australiens. L'ornithorynque possède un large bec tout plat, comme celui d'un canard. Il s'en sert pour fouiller la vase, à la recherche des vers et des insectes dont il se nourrit.

L'ornythorinque pond ses œufs dans un terrier. Quand éclosent les jeunes, ils s'approchent de leur mère pour têter. Les tétines se trouvent sous la fourrure du ventre. Les jeunes ornythorinques ne sortent de leur terrier qu'après plusieurs mois.

Quel est l'oiseau qui décore son nid?

L'oiseau à berceau mâle d'Australie et de Nouvelle Guinée décore son nid pour plaire à la femelle. A la saison des amours, il construit une sorte d'abri à l'aide de brindilles. Puis il ramasse toutes sortes de coquillages, de fleurs, de feuilles et d'insectes pour le décorer.

Pour attirer une femelle dans ce berceau, il siffle et danse devant le nid. Ils s'accouplent dans ce nid. Plus tard, la femelle construit un nouveau nid pour y pondre ses œufs.

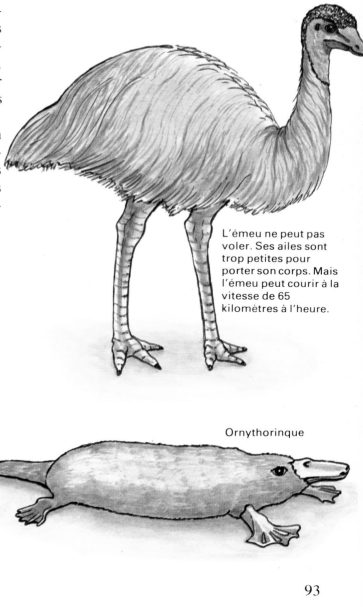

L'émeu ne peut pas voler. Ses ailes sont trop petites pour porter son corps. Mais l'émeu peut courir à la vitesse de 65 kilomètres à l'heure.

Oiseau à berceau

Ornythorinque

93

Les reptiles

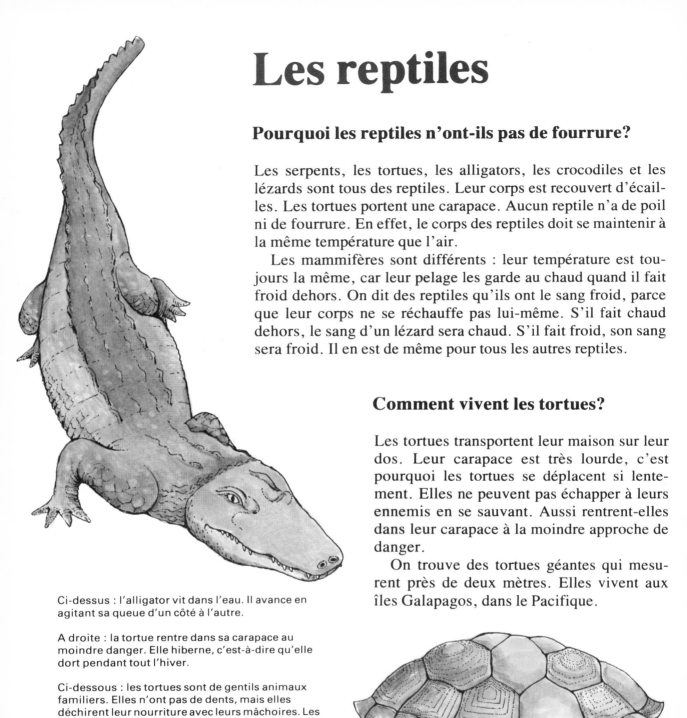

Pourquoi les reptiles n'ont-ils pas de fourrure?

Les serpents, les tortues, les alligators, les crocodiles et les lézards sont tous des reptiles. Leur corps est recouvert d'écailles. Les tortues portent une carapace. Aucun reptile n'a de poil ni de fourrure. En effet, le corps des reptiles doit se maintenir à la même température que l'air.

Les mammifères sont différents : leur température est toujours la même, car leur pelage les garde au chaud quand il fait froid dehors. On dit des reptiles qu'ils ont le sang froid, parce que leur corps ne se réchauffe pas lui-même. S'il fait chaud dehors, le sang d'un lézard sera chaud. S'il fait froid, son sang sera froid. Il en est de même pour tous les autres reptiles.

Comment vivent les tortues?

Les tortues transportent leur maison sur leur dos. Leur carapace est très lourde, c'est pourquoi les tortues se déplacent si lentement. Elles ne peuvent pas échapper à leurs ennemis en se sauvant. Aussi rentrent-elles dans leur carapace à la moindre approche de danger.

On trouve des tortues géantes qui mesurent près de deux mètres. Elles vivent aux îles Galapagos, dans le Pacifique.

Ci-dessus : l'alligator vit dans l'eau. Il avance en agitant sa queue d'un côté à l'autre.

A droite : la tortue rentre dans sa carapace au moindre danger. Elle hiberne, c'est-à-dire qu'elle dort pendant tout l'hiver.

Ci-dessous : les tortues sont de gentils animaux familiers. Elles n'ont pas de dents, mais elles déchirent leur nourriture avec leurs mâchoires. Les tortues se nourrissent surtout de verdure.

Crocodile ou alligator?

Les crocodiles et les alligators se ressemblent beaucoup. Leurs corps sont longs et effilés, recouverts d'écailles. Ils possèdent tous deux des mâchoires très puissantes et un long museau. Ils se nourrissent de poissons, d'oiseaux et de petits mammifères.

On ne peut distinguer un crocodile d'un alligator que lorsqu'ils ont la gueule fermée. Les dents inférieures de l'alligator sont cachées dans sa mâchoire supérieure. On ne voit que la rangée de dents supérieures. Par contre, toutes les dents du crocodile restent visibles lorsqu'il ferme la gueule.

Le lézard à collerette vit en Australie. Lorsqu'un danger le menace, il gonfle sa collerette qui forme un grand cercle autour de sa tête. Il paraît ainsi beaucoup plus gros et peut effrayer ses ennemis.

De quoi les serpents sont-ils capables?

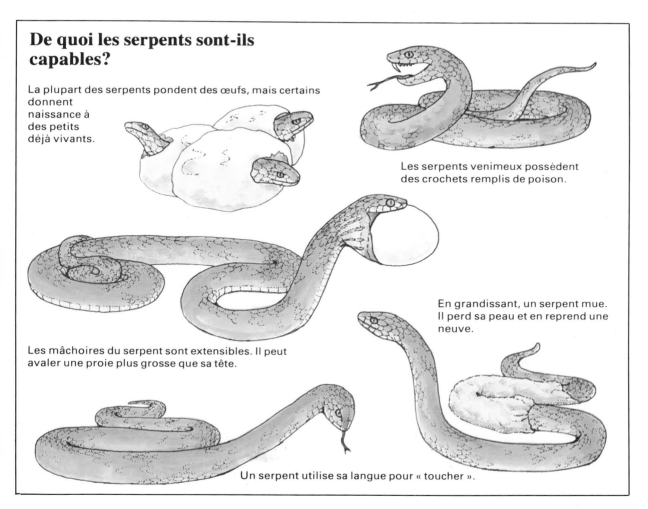

La plupart des serpents pondent des œufs, mais certains donnent naissance à des petits déjà vivants.

Les serpents venimeux possèdent des crochets remplis de poison.

Les mâchoires du serpent sont extensibles. Il peut avaler une proie plus grosse que sa tête.

En grandissant, un serpent mue. Il perd sa peau et en reprend une neuve.

Un serpent utilise sa langue pour « toucher ».

95

Les insectes

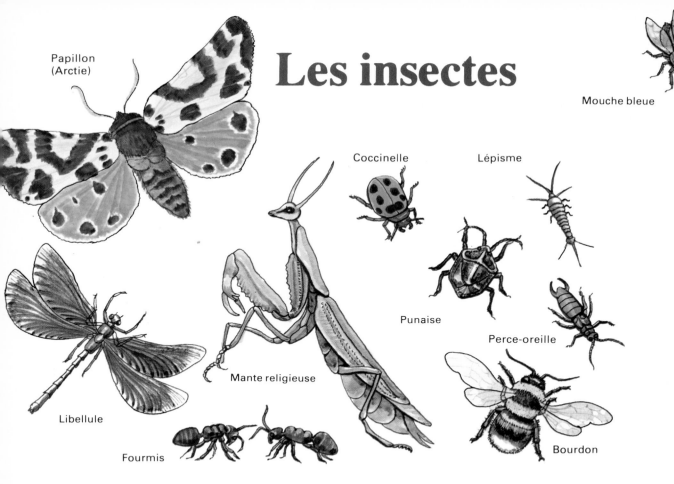

Papillon
(Arctie)

Mouche bleue

Coccinelle

Lépisme

Punaise

Perce-oreille

Mante religieuse

Libellule

Fourmis

Bourdon

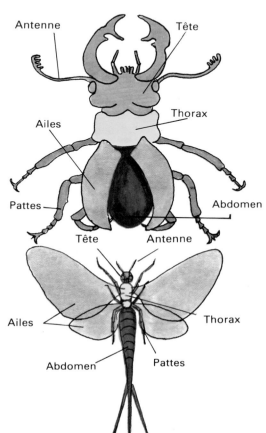

Antenne

Tête

Thorax

Ailes

Pattes

Abdomen

Tête

Antenne

Ailes

Thorax

Abdomen

Pattes

Qu'est-ce qu'un insecte?

Tous les animaux représentés sur cette page sont des insectes. Il y a des millions d'espèces différentes : papillons, scarabées, mouches, mites, abeilles, fourmis, grillons...

Les insectes n'ont pas de colonne vertébrale. Leur corps est divisé en trois parties : la *tête*, le *thorax* et l'*abdomen*. La tête est munie d'une paire d'*antennes*. Les insectes ont six pattes.

Les insectes vivent partout sauf dans la mer. Certains habitent dans des mares d'eau bouillante. D'autres dans les régions polaires. Les insectes se nourrissent de tout ce qu'ils trouvent : de plantes, d'animaux et même de matière plastique.

Les insectes peuvent détruire des récoltes entières et transmettre des maladies. Mais ils font partie du grand cycle de la nature. C'est aussi grâce à eux que le pollen passe d'une fleur à une autre.

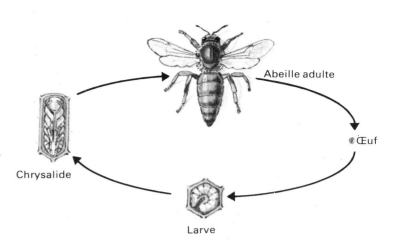

Demoiselle

Abeille adulte

Œuf

Chrysalide

Larve

Vulcain

Guêpe

Comment les insectes grandissent-ils?

Les insectes connaissent souvent quatre époques différentes pendant leur vie. Ils naissent d'abord sous la forme d'un œuf. L'œuf se transforme en *larve*. La larve devient ensuite une *chrysalide* et l'insecte grandit à l'intérieur. Dès qu'il est adulte, il déchire la *chrysalide* et en sort.

Combien de temps vivent les insectes?

En général, les insectes ne vivent pas très longtemps. Ils meurent au bout de quelques semaines. Certains ne vivent même que quelques heures. Mais d'autres, comme la reine des abeilles, peuvent atteindre l'âge de 7 ans.

Quelle est la taille d'un insecte?

Les insectes ont des tailles très variées; certains sont si petits qu'on peut à peine les voir. D'autres sont très grands. Le plus gros des insectes est le Goliath. Ce scarabée d'Afrique peut peser 100 grammes et mesurer 12 centimètres. Il existe aussi un papillon géant, dont les ailes écartées couvriraient cette page : c'est l'Atlas.

Ces bêtes sont-elles des insectes?

Les bêtes représentées ici ne sont pas des insectes. Regardez-les attentivement. Elles ont toutes plus de six pattes.

Cloporte

Millepattes

Araignée

Scorpion

97

Le monde des abeilles

Corbeille à pollen

Comment vivent les abeilles?

Les abeilles vivent dans des *ruches*. Chaque ruche est fondée par une *reine* et abrite près de 50 000 abeilles.

Les abeilles ouvrières sont des femelles, mais elles sont stériles; c'est-à-dire qu'elles ne pondent pas d'œufs. Seule la reine assure la reproduction.

La reine est fécondée par un *bourdon*. Aussitôt, elle fonde sa ruche et commence à pondre des œufs, d'où éclosent les *ouvrières*. La vie d'une reine peut durer 7 ans, mais la vie d'une ouvrière dépasse rarement 4 semaines. La reine doit donc pondre beaucoup d'œufs pour assurer le peuplement de sa ruche. Elle passe toutes ses journées à pondre, tandis que d'autres abeilles la nourrissent.

Lorsque naît une nouvelle reine, la vieille reine quitte sa ruche et part en fonder une nouvelle. La moitié de ses ouvrières l'accompagne.

Les apiculteurs élèvent les abeilles pour récolter leur miel. Afin de ne pas se faire piquer, ils portent un voile autour de leur tête, et projettent de la fumée dans la ruche.

Que se passe-t-il dans une ruche?

A l'intérieur de la ruche, les abeilles fabriquent des cellules en cire. Ces cellules s'appellent des *alvéoles*. La reine pond ses œufs dans les alvéoles. Quand les larves sortent des œufs, elles sont nourries par les ouvrières.

D'autres ouvrières sont chargées de récolter le pollen et le nectar. Le nectar deviendra du miel. Il servira à nourrir les abeilles. Les ouvrières sont aussi chargées de préparer la cire dans leur estomac. Elles la mâchent longuement pour pouvoir construire les alvéoles.

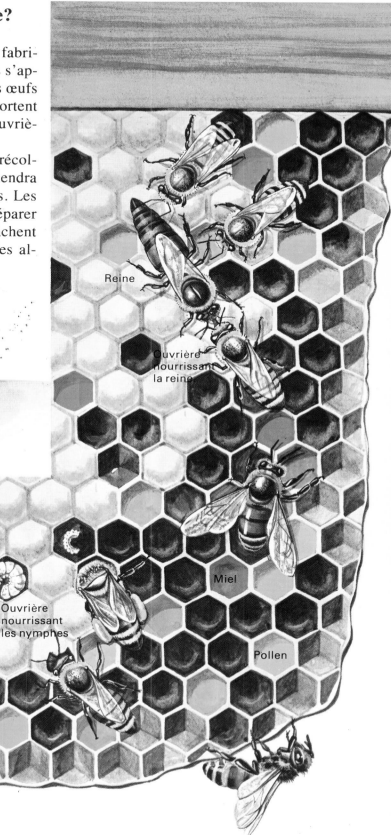

Ruche

DANS LA RUCHE

Reine

Ouvrière nourrissant la reine

Nymphe

Ouvrière nourrissant les nymphes

Miel

Pollen

Les papillons

Quelle est la différence entre les papillons de jour et les papillons de nuit?

Il y a deux sortes de papillons : certains butinent le jour. D'autres ne sortent que la nuit.

Les papillons de jour se reposent en pliant leurs deux ailes l'une contre l'autre. Les papillons de nuit, par contre, étalent leurs ailes à plat pour dormir.

Les antennes des papillons de jour se terminent par une petite boule. Les antennes des papillons de nuit sont recouvertes de poils.

De quoi les papillons se nourrissent-ils?

Les papillons se nourrissent d'un liquide sécrété par les fleurs et qui s'appelle le *nectar*. Ils sucent le nectar à l'aide de leur *trompe*.

Les papillons reconnaissent les différentes fleurs grâce à leurs antennes.

Le vulcain, papillon de jour, se repose en serrant ses ailes l'une contre l'autre.

Ce sphinx, papillon de nuit, met ses ailes à plat pour dormir.

L'antenne du papillon de jour se termine par une boule.

L'antenne du papillon de nu est couverte de poils

Le papillon utilise sa trompe pour aspirer le nectar contenu dans les fleurs.

Sphinx du troène

Zérène du groseillier

Sphinx bélier

Papillon bleu commun

Le papillon pond ses œufs sur les feuilles.

La chenille sort de l'œuf et commence à manger les feuilles.

Elle perd sa peau plusieurs fois.

La chenille devient une chrysalide. A l'intérieur, elle se transforme en papillon.

Le paon du jour est très coloré. La chenille de ce papillon magnifique se nourrit d'orties.

Qu'est-ce qu'une chenille?

Les chenilles sont de futurs papillons. Elles éclosent dans des œufs. Il y a des milliers de chenilles différentes, qui deviendront des milliers de papillons différents. Chaque chenille se nourrit d'une plante spéciale. Les chenilles grandissent sur la plante où elles sont nées. Elles changent plusieurs fois de peau en grandissant. Lorsque la chenille est adulte, elle se transforme en chrysalide. Le papillon grandit à l'intérieur de la chrysalide. Lorsqu'il est prêt à sortir, le papillon brise le cocon et déploie ses ailes. Bientôt, il s'accouple et pond lui-même des œufs.

Le monde des fourmis

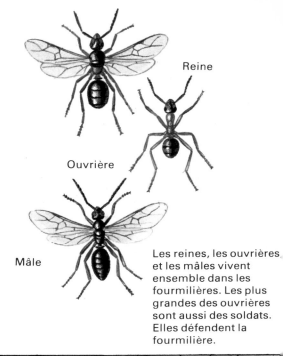

Reine

Ouvrière

Mâle

Qu'est-ce qu'une fourmilière?

Les fourmis vivent et travaillent dans des *fourmilières*. Une fourmilière est constituée

Comme tous les insectes, les fourmis utilisent leurs antennes pour sentir et toucher. Ces antennes les aident à trouver leur nourriture et à se reconnaître.

Les reines, les ouvrières et les mâles vivent ensemble dans les fourmilières. Les plus grandes des ouvrières sont aussi des soldats. Elles défendent la fourmilière.

d'un ensemble de galeries creusées dans le sol. Chaque fourmilière abrite des milliers de fourmis. Il y a trois sortes de fourmis et chacune a un travail bien particulier.

La *reine* est la plus grande des fourmis. Comme la reine des abeilles, elle passe son temps à pondre. Les œufs donneront naissance à leur tour à des reines, à des *ouvrières*, à des *soldats* ou à des *mâles* ailés. Les ouvrières entretiennent la fourmilière. Elles s'occupent aussi du ravitaillement et surveillent les œufs. Les soldats montent la garde. Les mâles ne travaillent pas. Ils s'accouplent avec la reine pour la féconder.

A l'époque de l'accouplement, des ailes poussent sur le corps de la reine. Elle quitte la fourmilière pour s'accoupler. Quand elle regagne la fourmilière, la reine arrache ses ailes et s'installe pour pondre. Les ouvrières portent les œufs de la chambre royale à la crèche, où ils se transforment en larves. Les autres chambres servent à ranger la nourriture.

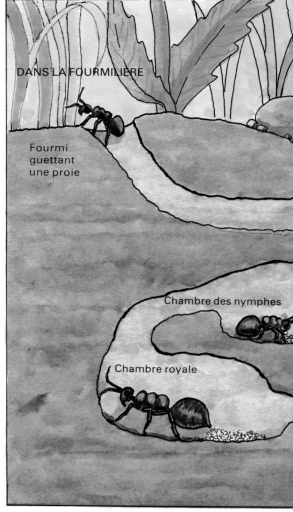

DANS LA FOURMILIÈRE

Fourmi guettant une proie

Chambre des nymphes

Chambre royale

Comment les fourmis se nourrissent-elles?

Les fourmis sont prévoyantes. Elles ne se contentent pas de chercher la nourriture à l'extérieur. Elles élèvent elles-mêmes des pucerons. Les pucerons sécrètent un liquide semblable à du lait, dont les fourmis sont très friandes. Les fourmis traient leurs pucerons exactement comme nous trayons nos vaches. Elles font aussi pousser des champignons, dont elles nourrissent les larves.

La fourmilière est bien aménagée. Elle comprend même des pièces réservées aux détritus.

Ces fourmis, appelées soldats des bois, vivent dans les pays chauds. Elles se déplacent par centaines et dévorent tout ce qu'elles trouvent sur leur passage.

Élevage de pucerons

Nurserie

Provisions

Chambre des nymphes

Détritus

Fourmi creusant.

Les oiseaux

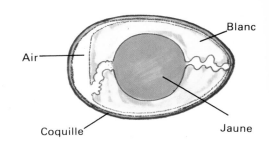

Que se passe-t-il à l'intérieur d'un œuf?

Les dessins ci-contre vous montrent ce qui se passe à l'intérieur d'un œuf. On y trouve le jaune, le blanc et des filaments qui maintiennent le jaune en place. Le jaune sert de nourriture à l'oisillon qui grandit dans l'œuf.

L'oisillon n'est d'abord qu'un embryon à l'intérieur du jaune. La coquille d'œuf est poreuse. Cela signifie qu'elle laisse passer l'air et que l'oisillon peut respirer.

L'embryon grandit lentement dans l'œuf en se nourrissant du jaune. L'œuf doit être tenu bien au chaud pendant toute la croissance de l'oisillon. Peu à peu, le blanc sèche et l'oiseau devient aussi gros que la coquille. Pour continuer à grandir, il doit alors la briser. Les oisillons sont pourvus d'un petit bec dont ils se servent pour sortir de leur œuf. Un oiseau nouveau-né est épuisé par cet effort. Il est encore tout humide. Mais il sèche très vite et commence aussitôt à s'inquiéter de sa nourriture.

Le poussin sort de l'œuf.

Pourquoi les oiseaux ont-ils des plumes?

Les plumes de l'oiseau lui permettent de voler. Elles lui tiennent chaud et le protègent de l'eau ou de la pluie.

Sur l'aile d'un oiseau, chaque plume joue un rôle différent.

Quand un oiseau oriente son aile les plumes s'écartent, s'ouvrent et se referment. Ce mouvement permet à l'oiseau de décoller, de tourner et de planer.

Certains oiseaux battent souvent des ailes; d'autres utilisent les courants d'air chaud pour planer et s'élever dans le ciel.

Les oiseaux ont-ils tous un bec et des serres?

Tous les oiseaux ont un bec, mais seuls les rapaces possèdent des serres. D'autres oiseaux ont les pieds palmés, ce qui leur permet de nager.

Tous les oiseaux ont un bec, mais ces becs ont des formes très diverses. Chaque oiseau se sert de son bec d'une manière différente. Le héron, par exemple, a besoin d'un long bec pour attraper le poisson au fond des étangs. Les aigles, les éperviers et les autres rapaces ont des becs courts et crochus. Ils peuvent ainsi dépecer rapidement une proie. Le pivert possède un bec fin et pointu, dont il se sert pour attraper des vers dans l'écorce des arbres.

Les rapaces utilisent leurs serres pour saisir leur proie et l'emporter dans les airs. Il arrive que les aigles saisissent des agneaux presque aussi grands qu'eux. Mais le plus souvent, ils se nourrissent de petits rongeurs, comme les mulots ou les lapins.

Quel est l'oiseau le plus répandu?

L'oiseau le plus répandu sur notre continent est le moineau. Le moineau n'a aucune caractéristique particulière. Son bec est large et court, ses pattes sont très petites. Mais le moineau est extrêmement vif. Il réussit à survivre aussi bien dans les villes que dans les campagnes. Il est adapté au monde moderne.

Les nids d'oiseau

De quels matériaux les nids sont-ils faits?

Les oiseaux utilisent toutes sortes de matériaux pour bâtir leur nid : la boue, les brindilles, les herbes sèches sont les matériaux les plus communs. Mais de nombreux oiseaux tapissent aussi leur nid de plumes, de feuilles et de mousse.

Certains petits oiseaux se servent de toiles d'araignée pour consolider leur nid.

En fait, les oiseaux utilisent les matériaux qu'ils trouvent autour d'eux.

Les nids ont-ils tous la même forme?

Le dessin en haut à droite ne montre que trois types de nids. Il y en a beaucoup d'autres. La forme la plus répandue est ronde ou ovale, mais certains oiseaux, comme les cigognes, bâtissent des nids pratiquement plats.

Faut-il beaucoup de temps pour bâtir un nid?

Certains oiseaux ne mettent que quelques heures à fabriquer leur nid. D'autres y passent plusieurs jours.

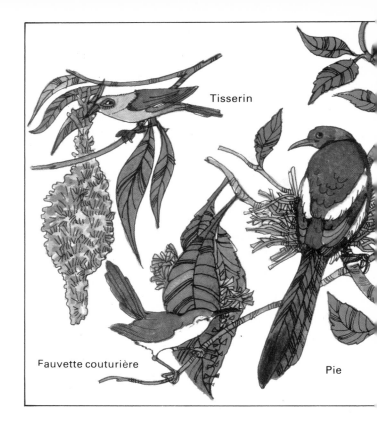

Tisserin

Fauvette couturière

Pie

Le tisserin met beaucoup de temps à bâtir son nid. Vous pouvez voir sur le dessin ci-dessous les différentes étapes de la construction.

Tout d'abord, le tisserin rassemble une grande quantité d'herbe sèche. Ensuite, il choisit les branches qui serviront de charpente à son nid. L'oiseau passe beaucoup de temps à entrelacer les herbes autour de cette charpente. Le nid se termine par une entrée étroite, en forme de tuyau.

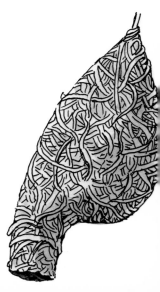

Pourquoi y a-t-il différentes sortes de nids?

Les oiseaux fabriquent des nids qui correspondent à leurs besoins. La forme du nid dépend aussi du matériau que l'on trouve dans la région. Les mouettes, par exemple, bâtissent leur nid à l'aide d'algues sèches. Quelques oiseaux, comme le manchot empereur, ne fabriquent pas de nid. Le père couve les œufs en les abritant sous sa peau. Le pluvier, lui, installe son nid sur le sol. Le mâle pluvier creuse un trou en piétinant longuement la terre. Lorsque la femelle a pondu ses œufs, elle les recouvre de sable et de coquilles. L'œuf du pluvier a la forme et la couleur d'un caillou. Il est donc difficile de le reconnaître.

Certains oiseaux marins nichent sur les falaises. Ils pondent des œufs très allongés. Cette forme empêche les œufs de rouler et d'aller s'écraser plus bas.

La rousserolle habite près des marais. Elle construit son nid dans les roseaux. Deux tiges de roseaux, autour desquelles elle tisse son nid, lui servent de charpente. Les feuilles des roseaux la dissimulent aux regards. C'est une bonne protection pour ses œufs.

Quand les oiseaux fabriquent-ils leur nid?

En général, les oiseaux construisent un nouveau nid chaque année. Mais les hirondelles comme les cigognes retrouvent le même nid lorsqu'elles reviennent de leur migration. Les oiseaux font leur nid au printemps, quand ils sont prêts à pondre leurs œufs.

Rouge-gorge américain

Rousserolle

Oiseau-mouche

Vanneau

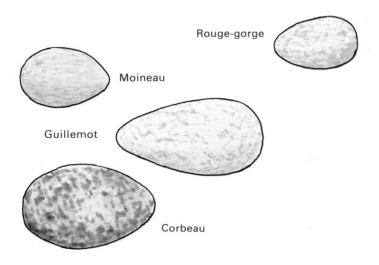

Rouge-gorge

Moineau

Guillemot

Corbeau

Au bord de la mer

Macareux

Mouette

Cormoran

Fou

Huîtrier-pie

Mouette à capuchon noir

Phoque

Crevette

Moules

Patelle

Peigne

Crabe

Gobie

Oursin

Anémone de mer

Praire

Bernard-l'hermite

Une plage semble souvent déserte, mais, en réalité, le rivage est habité par de nombreuses créatures. Certains coquillages, comme les moules et les praires vivent hors de l'eau à marée basse. Quand leur rocher est découvert, elles sont capables de garder assez d'humidité jusqu'à ce que la mer remonte. D'autres, comme les coques et les palourdes, s'enfouissent dans le sable quand la mer se retire.

oile de mer

Coque

L'anémone de mer est-elle une fleur?

Les anémones de mer ressemblent un peu aux anémones de nos jardins, mais ce ne sont pas des fleurs. Ce sont des animaux sans squelette. Les anémones de mer s'accrochent aux rochers sous-marins. Elles s'ouvrent comme des fleurs et agitent leurs tentacules pour attirer une proie. En cas de danger, elles se referment.

D'où vient le nom du Bernard-l'hermite?

Le Bernard-l'hermite n'a pas de carapace. Comme les ermites qui vivaient dans les grottes, le Bernard-l'hermite se réfugie dans des coquilles vides. Il transporte sa coquille quand il se déplace. Certains Bernard-l'hermite portent une anémone de mer accrochée à leur coquille. Ils aident ainsi l'anémone à trouver davantage de nourriture que si elle restait toujours à la même place. En échange, le Bernard-l'hermite se nourrit des restes que laisse l'anémone.

Pourquoi les cormorans écartent-ils les ailes au soleil?

Les cormorans sont des oiseaux marins. Mais ils ne plongent que pour pêcher, car leurs plumes se mouillent facilement. Un oiseau a du mal à voler quand ses plumes sont humides. Aussi le cormoran prend-il bien soin de sécher ses plumes quand il rentre de la pêche. Il écarte ses ailes au soleil ou dans le vent et les agite lentement.

L'étoile de mer a-t-elle des pattes?

L'étoile de mer a de petites ventouses sous chacune de ses branches. Ces ventouses permettent à l'étoile de mer de se déplacer sur le fond sous-marin. Elles lui servent aussi à ouvrir des coquillages.

Quel est le point commun entre un lapin et un macareux?

Les macareux sont des oiseaux marins. Ils vivent sur les falaises et nichent dans des terriers. Ces terriers ont été creusés par des lapins, puis désertés. Pendant des siècles, les macareux ont été chassés par l'homme. Les habitants des îles du Nord de l'Écosse les tuaient pour les manger.

Le monde sous-marin

L'hippocampe est-il un cheval?

L'hippocampe ressemble à un cheval. Son nom vient du grec (*hippos*, cheval). Il a été baptisé ainsi à cause de la forme de sa tête. L'hippocampe nage à la verticale, il se sert de sa queue pour s'accrocher aux algues. Le mâle hippocampe possède une poche, comme le kangourou, dans laquelle la femelle vient pondre ses œufs. Le mâle les couve jusqu'à l'éclosion. Il peut couver ainsi près de 400 œufs.

Quelle est la particularité des poissons plats?

Les poissons plats, comme la plie ou le flet, changent de forme au cours de leur vie. Ils ressemblent d'abord à tous les autres poissons. Puis, peu à peu, leurs yeux se rapprochent. Bientôt, les deux yeux et la bouche se trouvent du même côté de leur tête. Lorsque le poisson plat s'est transformé ainsi, il s'installe sur le fond marin. Il se couche sur le côté aveugle, qui reste toujours blanc. L'autre côté, qui porte les deux yeux et la bouche, change de couleur selon l'endroit où il se trouve. Sur un fond jaune, il devient jaune. Sur des cailloux, il devient gris.

Les deux pinces du homard sont-elles semblables?

Un homard possède dix pattes. Ses deux pattes avant se transforment en grandes pinces. Quand on les examine, on constate que ces pinces ne se ressemblent pas. L'une est épaisse et lourde. Elle sert à écraser la nourriture. L'autre pince est plus fine et dentelée. Le homard l'utilise pour extraire la chair des coquillages dont il se nourrit.

Qu'est-ce qu'une baudroie?

Comme un véritable pêcheur, la baudroie utilise une canne et un appât pour attraper ses proies. L'une de ses arêtes dorsales est très longue. Elle pend au-dessus de sa bouche comme une ligne de canne à pêche. Au bout de cette arête, il y a une excroissance semblable à un appât, qui attire les petits poissons.

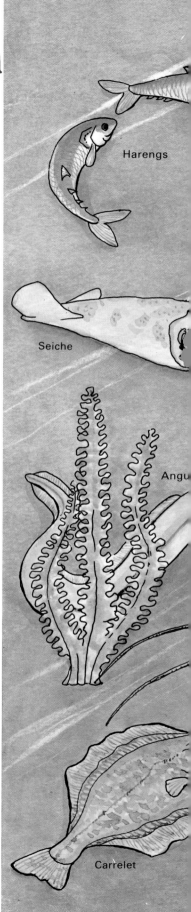

Harengs

Seiche

Angu

Carrelet

Hippocampe

Syngnathe

Roussette
à petites taches

Maquereau

Poulpe

Homard

Baudroie

Raie

Cabillaud

Les poissons volants volent-ils vraiment?

Les poissons volants volent réellement. Mais ils ressemblent plus à des planeurs qu'à des oiseaux, car ils ne peuvent pas voler longtemps. Le poisson volant a de très longues nageoires qui s'étendent comme des ailes. Il peut ainsi s'élever au-dessus des vagues. Le corps de ce poisson est mince et fuselé comme la carlingue d'un avion. Avant de s'envoler, le poisson volant doit prendre de l'élan. Certains nagent alors à la vitesse de 56 km à l'heure. Ils peuvent voler sur une distance de 400 mètres. Les scientifiques pensent qu'ils s'envolent pour échapper à leurs poursuivants.

Un poulpe est-il dangereux?

Certains poulpes peuvent atteindre une longueur de 5,5 mètres en étendant leurs tentacules. Mais en général, ils sont beaucoup plus petits. Les poulpes sont timides et craintifs. A la moindre approche, ils se cachent ou s'enfuient. Ils ne sont donc pas vraiment dangereux. S'ils le voulaient, les poulpes pourraient noyer quelqu'un en le serrant entre leurs tentacules.

Peut-on écrire avec l'encre des poulpes?

Le corps du poulpe contient une poche remplie d'encre. Lorsque le poulpe veut écarter

Les habitants des mers vivent à des profondeurs différentes. Les méduses restent près de la surface. Les anémones de mer et les poulpes se trouvent au fond, là où il n'y a pas trop d'eau. Les seiches, par contre, se promènent dans tous les secteurs.

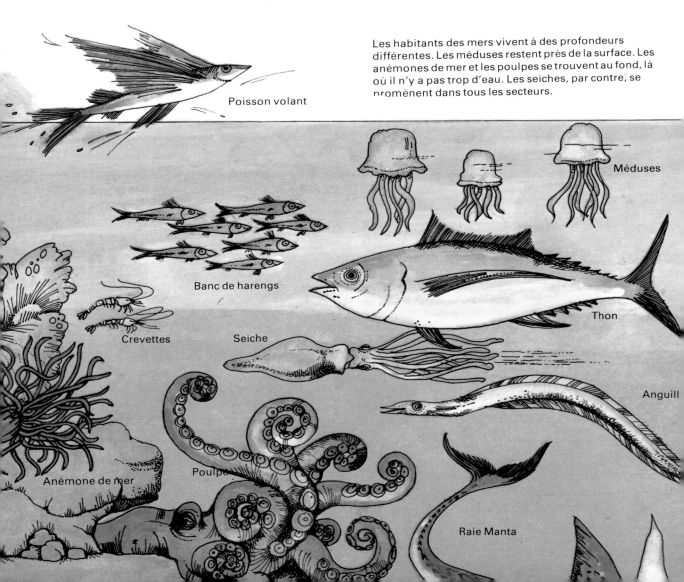

Poisson volant

Méduses

Banc de harengs

Thon

Crevettes

Seiche

Anguill

Anémone de mer

Poulpe

Raie Manta

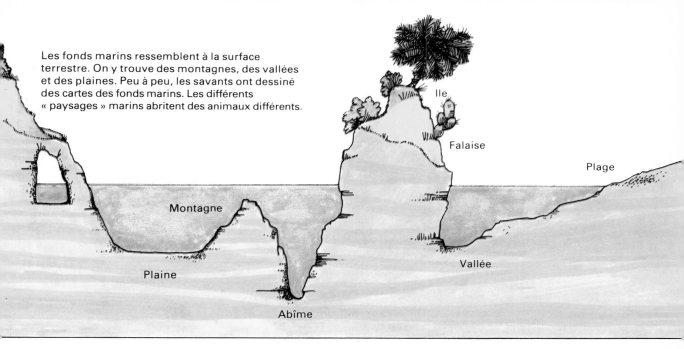

Les fonds marins ressemblent à la surface terrestre. On y trouve des montagnes, des vallées et des plaines. Peu à peu, les savants ont dessiné des cartes des fonds marins. Les différents « paysages » marins abritent des animaux différents.

Ile
Falaise
Plage
Montagne
Plaine
Abîme
Vallée

un ennemi, il vide cette poche dans l'eau. L'encre forme un nuage noir et le poulpe peut s'échapper. On a utilisé cette encre, appelée *sépia*, pour écrire ou dessiner.

Les anguilles voyagent-elles beaucoup?

L'anguille vit dans les rivières ou les fleuves d'Amérique et d'Europe. Au moment de la ponte, les anguilles parcourent des milliers de kilomètres à la nage. Elles gagnent ainsi la Mer des Sargasses, dans l'Océan Atlantique. Une fois arrivées, elles pondent leurs œufs, puis elles meurent. Quand les jeunes anguilles naissent, elles retournent à l'endroit où vivaient leurs parents. Les anguilles de nos pays mettent trois ans à accomplir le voyage.

La méduse est-elle un poisson?

La méduse n'est pas un poisson. Elle appartient à un groupe d'animaux qu'on appelle les *invertébrés*, parce qu'ils n'ont pas de colonne vertébrale. Les hommes, eux, sont des *vertébrés*. Sans vertèbres, nous serions mous comme des méduses.

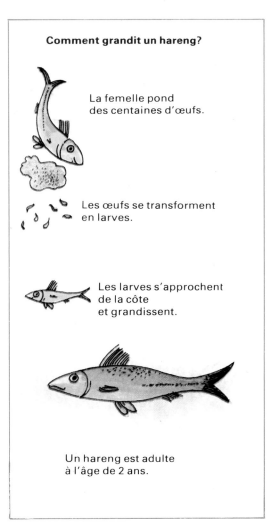

Comment grandit un hareng?

La femelle pond des centaines d'œufs.

Les œufs se transforment en larves.

Les larves s'approchent de la côte et grandissent.

Un hareng est adulte à l'âge de 2 ans.

Que mangent-ils?

Quels sont les animaux qui se nourrissent de plantes?

Les animaux qui se nourrissent de plantes s'appellent des *herbivores*. Ils ont des dents et des estomacs spéciaux. Grâce à eux, ils peuvent mâcher et digérer les plantes qu'ils mangent. Les girafes ont aussi un long cou qui leur permet d'attraper les feuilles les plus hautes.

Certains animaux, comme l'ours ou le cochon, sont des *omnivores*. Ils mangent aussi bien des plantes que des fruits, des légumes ou de la viande. Le panda, par contre, ne se nourrit que de bambou.

Singe

Oryx

Panda

Quels sont les animaux qui se nourrissent de viande?

Les *carnivores* ne mangent que de la viande. Tous les animaux représentés à gauche sont des carnivores. Ils possèdent des dents ou un bec acérés pour déchiqueter la viande. Leur estomac peut trier la chair, le poil et les os qu'ils avalent.

Les aigles, comme tous les rapaces, mangent des oiseaux ou de petits rongeurs. Les harengs, comme les crocodiles, se nourrissent de poisson. Le renard préfère la viande, comme le chien, mais peut se contenter d'une autre nourriture s'il ne trouve pas de viande.

Lion

Aigle

Crocodile

Hareng

Renard

Ours

Rhinocéros

Les animaux mangent-ils beaucoup? Combien de repas font-ils par jour?

Les grands herbivores passent presque tout leur temps à manger. Ils doivent avaler chaque jour une quantité de nourriture égale à leur poids. Cela signifie que les chevaux, les zèbres, les éléphants et tous les autres herbivores doivent trouver une grande quantité d'herbe et de plantes pour survivre.

Les carnivores, par contre, ne mangent pas forcément tous les jours. Lorsqu'ils ont tué une proie, ils la mangent puis la digèrent pendant plusieurs jours. Un lion adulte a besoin de manger l'équivalent de dix kilos de viande par jour.

Quand les animaux quittent l'état sauvage, qu'ils soient apprivoisés ou qu'ils vivent dans des zoos, ils prennent généralement l'habitude de manger une fois par jour.

Quand les animaux mangent-ils?

Certains animaux ne mangent que le jour. C'est le cas des herbivores, qui ont besoin de voir clair pour trouver leur nourriture. Mais les lapins préfèrent sortir la nuit. Dans l'obscurité, ils échappent plus facilement à leurs ennemis. Les carnivores chassent généralement la nuit. Tous les félins, comme les chats ou les lions, ont d'excellents yeux qui leur permettent de voir leur proie. Les chouettes sont aussi des carnivores qui chassent la nuit. Elles ont des yeux perçants et une ouïe très fine. Le dessin ci-contre vous montre tout ce dont peut se nourrir une chouette pendant une année. Vous pouvez constater que son alimentation est très variée et très abondante.

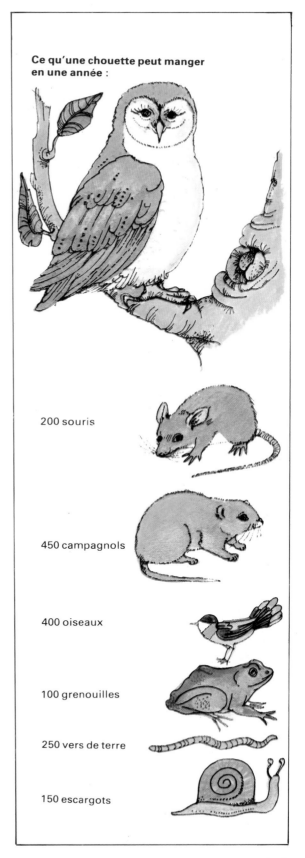

Ce qu'une chouette peut manger en une année :

200 souris

450 campagnols

400 oiseaux

100 grenouilles

250 vers de terre

150 escargots

Les chiens

Pourquoi y a-t-il différentes races de chiens?

Il y a quelques milliers d'années, les chiens étaient des animaux sauvages. On trouvait alors plusieurs races différentes qui s'étaient adaptées au milieu où elles vivaient. Les bergers allemands, ou chiens-loups, descendaient probablement des grands loups gris d'Europe.

L'homme domestiqua certaines races de ces chiens. Il les utilisait pour chasser ou pour garder les maisons.

Peu à peu, les hommes s'intéressèrent beaucoup aux chiens. Ils tentèrent de créer de nouvelles races, en mélangeant les espèces. Par exemple, si l'homme croisait une femelle d'une espèce à un mâle d'une autre espèce, les chiots appartenaient à une nouvelle race.

Lorsqu'on ne surveille pas ces croisements, et que les chiens s'accouplent entre eux, ils donnent naissance à des bâtards. Les bâtards n'appartiennent à aucune race définie. Mais ce sont généralement des chiens intelligents et robustes. De nouvelles races sont créées presque chaque année. Certaines sont toutes petites, elles reproduisent exactement un grand chien, mais en miniature.

Dalmatien

Corgi

Berger anglais

Basset artésien

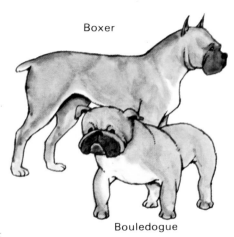

Boxer

Bouledogue

Pourquoi les hommes élèvent-ils des chiens?

Beaucoup de gens élèvent un chien. Le chien est un compagnon affectueux, dévoué à son maître. Il est aussi capable d'effectuer de nombreux travaux. Certains chiens sont d'excellents bergers. Ils gardent les troupeaux et les ramènent chaque jour à l'étable. D'autres chiens sont dressés pour conduire les aveugles. D'autres encore travaillent avec la police. Leur flair est très utile pour retrouver certaines pistes. Les chiens peu-

Barzoï

Terriers écossais

St-Bernard

Pékinois

vent aussi garder une maison et protéger leur maître. Certaines races de chiens sont particulièrement douées pour un travail précis. On les dresse alors à le faire. Parmi les chiens de chasse, on trouve aussi plusieurs races : il y a les chiens d'arrêt, qui signalent le gibier en s'arrêtant devant lui. Les chiens courants, eux, poursuivent leur proie; ils travaillent souvent en meute, c'est-à-dire en groupe. Les Terriers sont assez petits pour pouvoir chasser le lapin ou le rat en se faufilant dans leurs terriers.

Quel âge les chiens peuvent-ils atteindre?

La durée de vie d'un chien dépend souvent de sa race. Certaines races sont plus fragiles que d'autres. Un chien est adulte dès l'âge d'un an. Certains peuvent atteindre l'âge de vingt ans. Mais la durée de vie moyenne d'un chien est de douze ans.

Quelles sont les différentes tailles de chiens?

Un chien miniature adulte peut ne jamais dépasser la hauteur de 12 cm. Les dogues allemands, par contre, atteignent la hauteur

d'un mètre de la patte à l'épaule. Chaque race de chiens a une taille bien définie. Mais quand on possède un bâtard, on ne sait jamais à l'avance quelle sera sa taille adulte.

A partir d'un chien de taille moyenne, comme le bouledogue, on a créé plusieurs races : des grandes, comme le boxer, qui est un croisement entre un bouledogue et une race allemande; des plus petites, comme le bull-terrier, qui est né d'un terrier et d'un bouledogue.

Les croisements entre espèces ne sont pas réservés aux chiens. Beaucoup d'animaux peuvent être croisés entre eux. Le mulet, par exemple, est le résultat du croisement d'un âne et d'une jument.

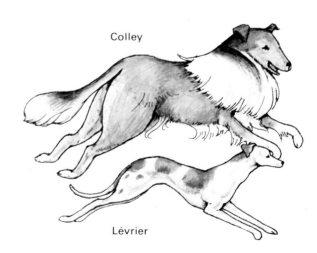

Colley

Lévrier

Les félins

En quoi les félins sont-ils différents des autres animaux?

Tous les membres de la famille des chats s'appellent des félins. Les tigres, les lions, les léopards sont des félins. Ils sont tous carnivores.

Les félins ont un bon odorat et une excellente vue. Ils chassent généralement à l'affût : quand un félin repère une proie, il s'en approche très doucement. Il peut parfois attendre pendant des heures le moment d'attaquer. Lorsqu'ils sont suffisamment près du gibier, les félins bondissent dessus à la vitesse de l'éclair.

Les félins ont des museaux courts, de longs corps souples et des griffes rétractiles. Ils peuvent sortir ou rentrer leurs griffes. Leurs yeux s'adaptent à la lumière la plus faible. Cela leur permet de chasser dans l'obscurité.

Quand a-t-on commencé à apprivoiser les chats?

Les chats étaient déjà des animaux familiers il y a trois mille ans. On sait que les Égyptiens les apprivoisaient. En Égypte, les chats étaient même considérés comme des animaux sacrés. On sculptait des statues en leur honneur et on les adorait dans des temples. Quand un chat mourait en Égypte ancienne, toute la famille se rasait les sourcils en signe de deuil. Les chats étaient aussi domestiqués en Chine, en Inde et au Japon. On les utilisait surtout pour chasser les souris dans les maisons et les greniers. Les Romains ont importé le chat en Angleterre. Il apparaît en France au Moyen Age.

Aujourd'hui, le chat est un animal familier dans le monde entier. Il y a de nombreuses races de chats, très différentes les unes des autres.

Lion

Léopard

Puma

Tigre

Serval

Lynx

Chat

Chat blanc et noir

Chat écaille de tortue

Chinchilla

Chat tigré

Siamois

Birman

Quelles sont les différentes races de chats?

Il y a de nombreuses races de chats. Mais on peut les diviser en deux groupes : les races à poil court et les races à poil long. Le chinchilla représenté ci-contre est un chat à poils longs. Parmi les chats à poil long, on trouve plusieurs couleurs de pelage : noir, gris, blanc et même rose ou bleuté.

La race des chats à poil court est la plus répandue. Presque tous les chats de gouttière, qui n'appartiennent à aucune race précise, ont le poil court. Ils sont souvent rayés de noir ou de roux. Les chats siamois sont aussi à poil court. Ils ont la queue et la tête noire, et le corps beige. On reconnaît les siamois à leurs yeux bleu clair.

Les chats qui viennent d'Asie, comme les siamois ou les persans, sont des races très recherchées. Ils participent à des concours de beauté et peuvent valoir très cher.

Les chats ordinaires sont aussi très appréciés. Ce sont de bons compagnons, affectueux et fidèles. Contrairement aux chiens, ils participent peu à la vie de famille. Ils ont un caractère très indépendant. Lorsqu'on les laisse sortir, ils passent souvent la nuit dehors. Les chats domestiques ont encore l'instinct de la chasse. Ils ressemblent beaucoup dans leurs attitudes aux tigres ou aux panthères dont ils sont les lointains parents.

Chevaux et poneys

Cheval au galop

Quelle est la différence entre un cheval et un poney?

Le cheval et le poney se ressemblent beaucoup. Mais le poney est nettement plus petit que le cheval. Les poneys atteignent à peine la hauteur d'1 m 40 au garrot (le bas du cou). Les poneys de Shetland sont encore plus petits. Ils ne dépassent pas 95 cm.

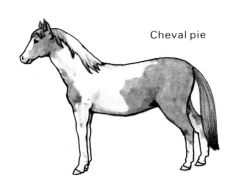

Cheval pie

Poney de Shetland

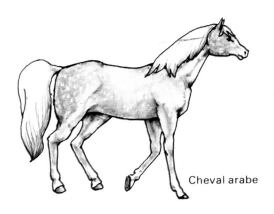

Cheval arabe

Y a-t-il encore des chevaux sauvages?

On ne trouve pratiquement plus de chevaux sauvages aujourd'hui. Les chevaux laissés en liberté sont pour la plupart destinés à la boucherie ou à la reproduction. Autrefois, tous les chevaux vivaient à l'état sauvage. Ils se déplaçaient constamment à la recherche de nouveaux pâturages. Leurs hordes étaient menées par un *étalon*, c'est-à-dire un cheval mâle. L'étalon conduisait la horde et protégeait les *juments* et les *poulains*. Peu à peu, l'homme a domestiqué le cheval.

Y a-t-il encore beaucoup de chevaux aujourd'hui? A quoi servent-ils?

On trouve encore près de 65 millions de chevaux dans le monde. Mais au siècle dernier, ils étaient deux fois plus nombreux. A cette époque, les machines n'existaient pas encore. Les chevaux remplaçaient les tracteurs et les automobiles. Ils transportaient les soldats et hâlaient les navires le long des canaux.

Aujourd'hui, les chevaux sont encore très utiles. Dans certains pays, ils servent au travail des champs. En Amérique, le rassemblement des troupeaux se fait toujours à cheval. On élève aussi des chevaux pour la course.

Quels sont les animaux de la famille du cheval?

Les ânes, les mules et les zèbres sont des cousins du cheval. Et le rhinocéros appartient aussi à la même famille!

Quelles sont les races les plus célèbres?

Les races les plus célèbres sont celles qui possèdent du sang arabe. Les chevaux arabes sont réputés pour leur beauté et leur rapidité. Ils sont aussi très résistants. La plupart des chevaux de course ont du sang arabe.

La race des percherons est également réputée. Ce sont d'excellents chevaux de trait, qui peuvent tirer des poids très importants.

Les poneys de Shetland sont connus pour leur petite taille. Ils font de bonnes montures pour les enfants.

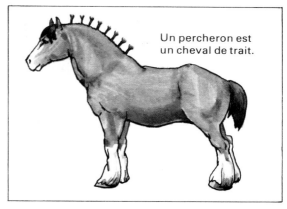

Un percheron est un cheval de trait.

Ci-dessus : les chevaux de trait sont des animaux extrêmement résistants. Ils peuvent atteindre la taille de deux mètres et peser plus d'une tonne. Seul l'éléphant est plus fort qu'un percheron ou qu'un Shire.

Ci-dessous : pour monter à cheval, il faut un équipement bien précis. La selle sert de siège. Les brides et les rênes permettent de guider le cheval. On pose les pieds sur des étriers. Il existe des brides très compliquées, à doubles lanières. Certaines selles comportent un pommeau surélevé.

Tête
Oreilles
Bride
Crinière
Garrot
Pommeau
Selle
Croupe
Queue
rolle
Porte-mors
seau
Mors
Rênes
Épaule
Sangle
Étrier
Jambe avant
Jambe arrière
Genou
Fanon

LES DIFFÉRENTES PARTIES D'UN CHEVAL ET SON HARNACHEMENT

Sabot

121

Les animaux qui travaillent pour nous

Y a-t-il des dauphins dans la marine?

Oui! Les dauphins sont une aide précieuse pour la marine. Ils transportent des outils et des messages sous l'eau.

Les dauphins sont des mammifères, comme les baleines. Ils allaitent leurs petits. Les dauphins sont très intelligents.

Beaucoup de savants ont étudié les dauphins. Ils ont constaté que le dauphin trace son chemin dans l'eau comme un sous-marin. Il utilise l'équivalent d'un « sonar », c'est-à-dire qu'il envoie des ultra-sons devant lui. Quand le sonar heurte quelque chose, il renvoie un écho. Le dauphin peut ainsi savoir où se trouve l'obstacle et même de quelle matière il est fait.

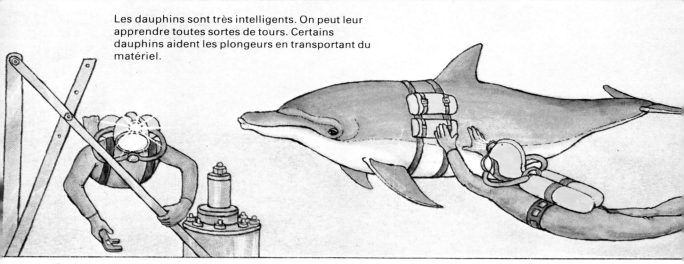

Les dauphins sont très intelligents. On peut leur apprendre toutes sortes de tours. Certains dauphins aident les plongeurs en transportant du matériel.

Quels sont les animaux de cirque?

On peut entraîner toutes sortes d'animaux à faire des tours, par exemple les otaries, les singes et les ours. On les voit souvent dans les cirques. Ces animaux doivent être aimés et soignés par leur maître. Généralement, ils apprécient leur travail et aiment les applaudissements.

Les insectes travaillent-ils pour nous?

Les insectes sont des aides précieux pour l'homme. Mais ils ne travaillent pas pour nous directement. Ils travaillent pour eux-mêmes, et l'homme utilise le résultat de ce travail. Les abeilles, par exemple, fabriquent la cire et le miel que nous récoltons. Elles servent aussi à fertiliser les plantes, en transportant le pollen d'un champ à un autre. Les hommes qui élèvent des abeilles s'appellent des apiculteurs. Ils fabriquent les ruches et récoltent le miel. Ils doivent porter des vêtements spéciaux, des gants et un chapeau entouré de mousseline pour se protéger des piqûres.

Les vers à soie nous donnent la soie avec laquelle ils fabriquent leur cocon.

La cochenille, un petit insecte qui vit sur des cactus, nous fournit une teinture rouge.

Les animaux utilisés pour le transport des charges changent d'une région à l'autre du globe.

Dromadaire Renne Lama Yack

Les apiculteurs élèvent les abeilles et récoltent leur miel. Les abeilles vivent dans des ruches. Le toit de la ruche peut se soulever pour que l'apiculteur prenne le miel.

Pourquoi utilise-t-on des chameaux dans le désert?

Le chameau (deux bosses) et le dromadaire (une bosse) sont parfaitement adaptés à la vie dans le désert. Ils peuvent survivre plusieurs jours sans boire. Autrefois, on pensait que les dromadaires conservaient de l'eau dans leur bosse. Mais ce n'est pas vrai. Le dromadaire transpire beaucoup moins que l'homme, aussi l'eau reste-t-elle plus longtemps dans son corps. Lorsqu'il fait très chaud dehors, les dromadaires se serrent les uns contre les autres. Leur corps est plus frais que la température extérieure. En se rapprochant, ils conservent la fraîcheur.

Ce buffle tire une charrue dans une rizière. Les buffles sont très grands et forts mais tout à fait inoffensifs une fois dressés.

123

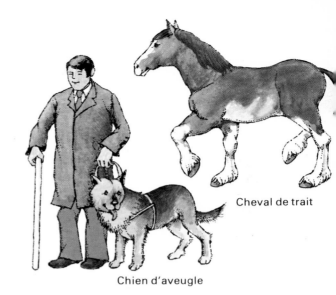

Cheval de trait

Chien d'aveugle

Que nous donnent-ils?

Le mouton donne de la laine et de la viande.

Les poules donnent des œufs et de la viande.

Les vaches donnent du lait et de la viande.

Les yacks donnent du lait, de la viande et de la laine.

Les éléphants travaillent-ils pour nous?

Il existe deux races d'éléphants : les éléphants des Indes et les éléphants d'Afrique. Les éléphants domestiques sont pour la plupart des éléphants des Indes. Ils sont utilisés pour travailler avec les bûcherons. Un éléphant peut transporter d'énormes troncs avec sa trompe en les soulevant ou en les tirant derrière lui.

Autrefois, on se servait aussi d'éléphants dans les armées. Ils portaient des hommes ou du matériel. En 200 avant J.C., Hannibal utilisa des éléphants pour combattre les Romains. Il franchit les Alpes avec son armée montée à dos d'éléphants.

Pourquoi le chien est-il le meilleur ami de l'homme?

Les chiens sont de merveilleux compagnons. Ils partagent la vie des hommes et peuvent aussi l'aider à toutes sortes de travaux. Au Canada, les chiens tirent les traîneaux et transportent la nourriture et l'homme. Les chiens de berger gardent les troupeaux. Mais les personnes qui aiment les chats peuvent aussi dire que le chat est le meilleur ami de l'homme. Tous les animaux peuvent être de bons amis pour l'homme.

Chiens de traîneau

Ane

Chat

Éléphant

Ci-dessus : Tous ces animaux travaillent pour les hommes. Chacun accomplit une tâche particulière.

Les oiseaux peuvent-ils nous aider?

Les cormorans ont beaucoup travaillé pour l'homme. En Chine et au Japon, on les dressait à pêcher. Les cormorans étaient tenus en laisse. Lorsqu'ils avaient attrapé un poisson, ils le rapportaient sur le bateau. La pêche au cormoran existe toujours en Chine aujourd'hui. Au Japon, on ne la pratique plus que pour les touristes. Les faucons aussi étaient dressés pour la chasse. Ils tuaient un oiseau en plein vol et l'apportaient à leur maître.

Les cormorans sont d'excellents pêcheurs. On les dresse en Chine et au Japon. Chaque oiseau a un anneau autour du cou. Ainsi, il ne peut pas avaler le poisson qu'il attrape.

Les animaux de la ferme

Taureau

Vache

Veau

Truie

Coq

Chien

Porcelet

Poussins

Canards

Poule

Les cochons nous donnent :   la viande   le lard   le cuir   Les vaches nous donnent :   le lai

Jument

Poulain

Étalon

Agneau

Brebis

Bélier

Pourquoi élève-t-on des porcs?

Aujourd'hui, on élève surtout les porcs pour leur viande et leur lard. Mais il y a quelques siècles, les porcs rendaient toutes sortes de services. En Égypte, ils travaillaient dans les champs : ils piétinaient la terre après les semailles, pour enfoncer les graines dans le sol. Ils ont parfois été utilisés pour garder les troupeaux. Les porcs servent aussi à chercher les truffes. Mais de nos jours, on utilise le plus souvent des chiens pour ce travail.

L'homme a-t-il toujours élevé des poules?

Il y a près de 5 000 ans, on élevait déjà des poulets en Inde. On se nourrissait de leurs œufs et de leur chair.

Maintenant, la plupart des poulets sont élevés dans de grandes fermes. Les poules sont enfermées dans des cages, dont elles ne sortent jamais. Elles pondent leurs œufs qui sont emballés aussitôt. D'autres fermes sont spécialisées dans l'élevage du poulet. Certains éleveurs élèvent encore des volailles en liberté.

Combien de laine un mouton peut-il fournir?

Il y a plusieurs races de moutons. Certaines sont élevées pour la laine, d'autres pour la viande. Il existe une race de moutons qui fournit énormément de laine; ces moutons vivent en Nouvelle Zélande et ils peuvent fournir 10 kilos de laine chacun en une année. Les autres races n'en donnent que 3 ou 4.

la viande   le cuir

Les moutons nous donnent :   la laine

la viande

Les graines et les plantes

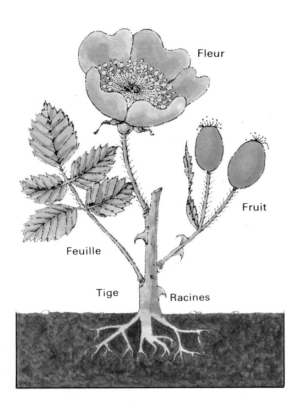

Fleur

Fruit

Feuille

Tige   Racines

Qu'est-ce qu'une plante?

Une plante est constituée de cellules. La plupart de ces cellules sont si petites qu'on ne peut les voir à l'œil nu. Il faut utiliser un microscope. Chaque cellule contient des produits chimiques qui déterminent son rôle. Certaines cellules, par exemple, sont chargées d'absorber la nourriture. D'autres servent à conduire l'eau jusqu'aux feuilles.

Les plantes sont plus ou moins compli-

quées. Certaines n'ont ni racines ni fleurs. Elles n'ont donc qu'un nombre limité de cellules. D'autres, par contre, ont des racines, des tiges, des fleurs et des feuilles. Ces plantes-là peuvent comporter 80 sortes de cellules.

La plante représentée à gauche possède trois parties principales : les racines, la tige et les feuilles. La racine absorbe l'eau et les minéraux dans la terre. Elle les envoie ensuite dans la tige. Les racines sont aussi chargées de maintenir la plante dans le sol.

La tige reçoit l'eau envoyée par les racines. Elle la conduit jusqu'aux feuilles. C'est également la tige qui porte les feuilles et les fleurs.

Que se passe-t-il lorsqu'une graine commence à germer?

Une graine *germe* lorsqu'elle se développe dans le sol. Pour germer, une graine doit absorber l'eau de la terre. Peu à peu, elle grandit et sa cosse éclate. La racine principale sort de la cosse et plonge dans la terre. Pendant ce temps, la tige monte vers le ciel. La cosse d'une graine contient assez de nour-

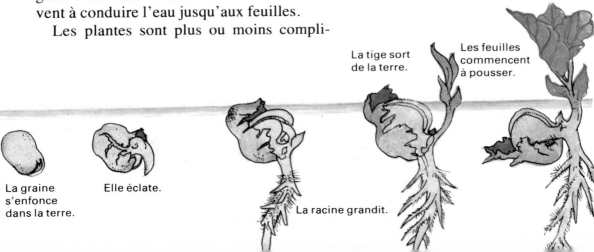

La tige sort de la terre.

Les feuilles commencent à pousser.

La graine s'enfonce dans la terre.

Elle éclate.

La racine grandit.

riture pour nourrir la plante, jusqu'à ce que les feuilles soient formées.

Les feuilles sont chargées de conserver l'eau et d'apporter à la plante sa nourriture. En attendant, la graine absorbe la nourriture contenue dans sa cosse.

Comment les graines voyagent-elles?

Chaque plante adulte produit des graines. Chacune de ces graines doit un jour quitter la plante. A son tour, la graine pénétrera dans le sol, poussera et formera une nouvelle plante. Mais comment font les graines pour quitter leur plante-mère?

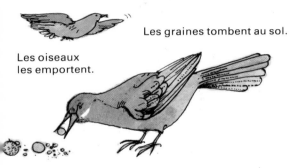

Les oiseaux les emportent.

Les graines tombent au sol.

Le vent se charge souvent de les aider. Certaines plantes produisent des graines couvertes de poils. Ces poils servent de parachute à la graine. Lorsque souffle le vent, la graine s'envole. D'autres plantes enrobent leurs graines dans une gousse. Quand la gousse est mûre, elle éclate. Cette petite explosion projette les graines dans l'air. Le vent les pousse assez loin avant qu'elles ne retombent à terre. Les plantes qui poussent près des rivières ou des étangs produisent souvent des graines capables de flotter. Ces graines tombent à l'eau et sont portées par le courant jusqu'à d'autres terrains. La graine la plus grosse du monde est la noix de coco. Elle est généralement transportée par la mer

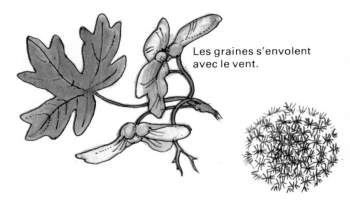

Les graines s'envolent avec le vent.

d'une île à une autre. Rejetée sur une plage, la noix de coco donnera naissance à un nouveau cocotier.

Les animaux peuvent-ils aider les plantes à se reproduire?

Les animaux ont, sans le savoir, un rôle important dans la reproduction des plantes. Certaines graines sont couvertes d'une sorte de colle qui s'accroche au poil des animaux. Les moutons, par exemple, transportent ainsi les graines d'un champ à un autre, sans s'en rendre compte.

Lorsqu'un écureuil fait sa provision de noix et de noisettes, il participe aussi à la reproduction des plantes. Les noix qu'il ne mange pas germent à leur tour, surtout si elles sont tombées dans un tas de feuilles mortes.

Les oiseaux transportent également les graines. Ils les saisissent pour les manger, mais les lâchent parfois en cours de route, dans un nouveau champ.

Les animaux transportent les graines.

A quoi ressemble une graine?

Les plantes à fleurs se reproduisent en fabriquant des graines. A l'intérieur de chaque graine se trouve un *embryon*. Cet embryon va grandir, jusqu'à ce qu'il se transforme lui-même en plante.

L'embryon a besoin de nourriture pour grandir. Les graines contiennent une réserve de nourriture qui alimente l'embryon. Il arrive que cette réserve soit consommée par l'homme ou par les animaux. Les dessins ci-contre montrent plusieurs sortes de graines. Les petits pois que nous mangeons sont les graines du pois. Nous mangeons aussi les graines des haricots et des tomates.

La fleur du coquelicot et la fleur de pissenlit produisent plusieurs graines. Lorsque la fleur se fane, les graines sont emportées par le vent. Les graines du coquelicot ne sont pas plus grosses qu'une tête d'épingle. D'autres plantes ne fabriquent que peu de graines : chaque tige d'un chêne ne produit qu'un seul gland. Les haricots contiennent six ou huit graines rangées dans une enveloppe appelée *cosse*.

Pourquoi les plantes ont-elles des fleurs?

La fleur joue un rôle très important pour la plante. C'est la fleur qui produit et protège les graines. C'est aussi la fleur qui permet que les graines soient *fertilisées*.

Les plantes contiennent une poudre qui s'appelle le *pollen*. C'est le pollen qui fertilise la plante en touchant le *stigmate*. Le pollen est transporté d'une plante à l'autre soit par le vent, soit par les insectes qui butinent, comme les abeilles ou les papillons. Pour recevoir le pollen apporté par le vent, les plantes doivent appartenir à des variétés à petites fleurs, dont les pétales ne risquent pas de faire obstacle.

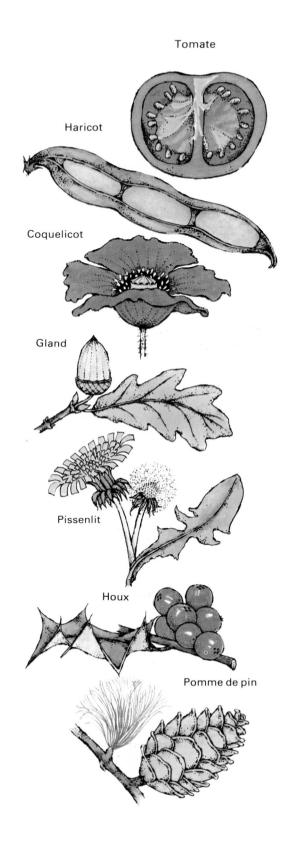

Tomate

Haricot

Coquelicot

Gland

Pissenlit

Houx

Pomme de pin

Comment se forment les racines?

Quand une graine commence à germer et se met à pousser, c'est la racine principale qui apparaît la première. Elle plonge dans la terre. Puis, elle se divise : d'autres racines plus petites se forment. Les racines grandissent selon les besoins de la plante.

Chacune de ces racines ressemble à un tuyau. Ces tuyaux se rassemblent tous dans la tige. Ils fournissent à la plante l'eau et les sels minéraux qui lui permettent de pousser.

L'enveloppe des racines est recouverte de petits poils, qui prennent l'eau du sol pour alimenter la plante. Ces petits poils vivent très peu de temps, mais il en pousse de nouveaux en permanence tandis que la racine principale continue à se développer.

Une plante peut très bien continuer à vivre si les poils des racines sont coupés ou même si certaines des racines secondaires sont abîmées, mais elle mourra si on la sépare de sa racine principale car elle ne recevra plus l'eau et la nourriture nécessaires à sa survie.

Qu'est-ce qu'un stolon?

Un stolon est une tige aérienne rampante, terminée par un bourgeon qui s'enracine à nouveau. La tige court sur le sol et plonge dans la terre. Elle en ressort comme une nouvelle plante. Les fraisiers se reproduisent de cette façon.

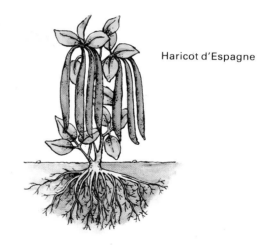

Haricot d'Espagne

Beaucoup de racines fibreuses

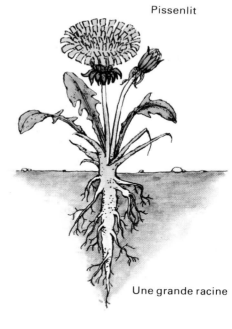

Pissenlit

Une grande racine

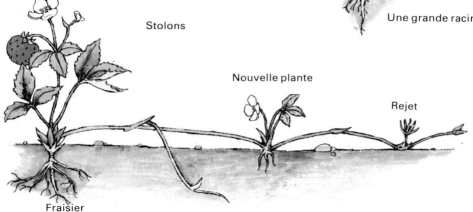

Stolons

Nouvelle plante

Rejet

Fraisier

Les plantes du Moyen-Orient

Un cèdre

Le drapeau libanais

Pourquoi y a-t-il un cèdre sur le drapeau du Liban?

Le cèdre est l'emblème du Liban. Cet arbre peut atteindre un âge très avancé et une hauteur impressionnante. Certains cèdres du Liban mesurent quarante mètres. La Bible raconte que le temple de Salomon était construit en bois de cèdre.

Qu'est-ce que le lin?

Le lin est une plante à fibres. Ces fibres peuvent être tissées. Le lin est l'un des tissus les plus anciens. Les Égyptiens ensevelissaient leurs pharaons dans des linceuls de lin. Les prêtres hébreux étaient également vêtus de lin.

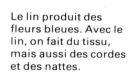

Le lin produit des fleurs bleues. Avec le lin, on fait du tissu, mais aussi des cordes et des nattes.

Qu'est-ce que le papyrus?

Le papyrus est une plante aquatique qui pousse en Égypte. Elle peut atteindre 3 mètres de hauteur. Autrefois, les Égyptiens utilisaient cette plante pour fabriquer du papier.

Il fallait d'abord couper la plante en lanières. On tressait ces lanières en les entrelaçant, puis on les laissait sécher longuement au soleil en les martelant. Quand la pâte de papyrus était sèche, elle pouvait être utilisée comme papier. Les feuilles de papyrus étaient cousues ou collées entre elles, puis roulées comme sur le dessin ci-dessus. On a retrouvé des morceaux de papyrus qui dataient de plusieurs milliers d'années.

Le papyrus servait aussi à faire des paniers, des voiles ou des cordages.

Avec quoi fait-on le pain?

On mange du pain dans la plupart des pays, mais les pains sont tous différents. Leur composition et leur cuisson varient d'un endroit à un autre. La femme juive représentée ci-dessous est en train de faire cuire du pain sans *levure*. Elle a d'abord moulu du grain et mélangé la farine à de l'eau ou à du lait pour faire une pâte.

La levure forme des bulles de gaz dans le pain qui le font gonfler. La plupart des pains contiennent de la levure. On fait du pain avec du blé, de l'orge, du seigle ou du son. Certains peuples fabriquent leur pain à partir de pommes de terre, de noix ou de riz.

Le tissage du lin

Où trouve-t-on des dattes?

Les dattes sont les fruits du palmier-dattier. Il existe plusieurs sortes de palmiers. Leurs troncs se ressemblent tous. Mais certains fournissent des bananes, d'autres des noix de coco, d'autres encore des dattes.

Les feuilles du palmier-dattier peuvent atteindre six mètres de long. Les palmiers poussent dans des pays chauds et secs. Leur tronc et leurs feuilles sont utilisés par les Arabes pour tisser des cordes et pour construire des maisons.

Le palmier-dattier est cultivé depuis plus de 4 000 ans. Les dattes poussent en régimes. Chaque régime peut porter plus de deux cents dattes.

Le palmier cocotier porte des noix de coco. La chair de la noix de coco est très savoureuse. Elle sert aussi à faire de l'huile, du savon ou de la margarine.

Dattes

Datte séchée

Que fait-on du raisin?

On peut manger le raisin frais ou séché comme le raisin de Corinthe. Mais une grande partie du raisin cultivé sert à faire du vin.

Le raisin et le vin sont connus depuis plus de 3 000 ans. On a retrouvé des grains de raisins secs dans des tombes égyptiennes.

Il y a différentes sortes de raisins. Certains sont blancs, les autres noirs. On trouve du raisin plus ou moins sucré et du raisin très acide. Il faut à la vigne un climat sec et ensoleillé. La vigne demande aussi un soin constant et un entretien régulier. Une vigne bien traitée peut vivre 300 ans.

Les pays qui produisent le plus de vin sont la France, l'Espagne, l'Italie et l'Algérie. Il existe maintenant de bons vins aux États-Unis, en Californie.

Raisins

Raisins secs

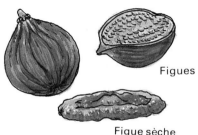

Figues

Figue sèche

Pourquoi les figues fraîches sont-elles rares sur les marchés?

La figue fraîche est un fruit rare car il est extrêmement fragile. Une figue qui vient d'être cueillie est très molle. Elle s'abîme facilement et on a du mal à la transporter. Les figues séchées, par contre, se conservent très bien. Elles contiennent une grande quantité de sucre.

Où poussent les olives?

Les olives poussent surtout dans les pays méditerranéens, comme l'Espagne, l'Italie et la Grèce. Mais on en trouve déjà dans le sud de la France.

L'olivier est un arbre qui croît très lentement. Il peut atteindre l'âge de 1 000 ans. Les olives vertes que nous consommons sont des olives qui n'ont pas encore mûri. En mûrissant, elles deviennent violettes, puis noires et fripées.

On cultive les olives principalement pour leur huile, très parfumée. On se sert aujourd'hui de cette huile pour cuisiner. Autrefois, on l'utilisait également dans les lampes à huile.

Autrefois, l'huile d'olive était utilisée pour l'éclairage.

Olives mûres.

Les arbres

Les arbres grandissent-ils toute leur vie?

Les animaux et les hommes cessent de grandir lorsqu'ils atteignent leur taille adulte. Les plantes, par contre, grandissent toute leur vie. Les arbres sont des plantes dont la tige est en bois : c'est le tronc. Les branches et les racines sont les parties de l'arbre qui grandissent le plus vite; mais le tronc épaissit peu à peu en vieillissant.

Si l'on coupe en deux un tronc d'arbre, on peut déterminer son âge. Le tronc est formé de cercles de bois successifs. Chaque année, l'arbre compte un cercle de plus.

Les feuilles, les bourgeons et les fleurs grandissent aussi à leur rythme. Il faut que chaque feuille reçoive de la lumière. C'est pour cette raison que certains arbres ont des formes si étranges.

Comment les bourgeons se forment-ils? Quand éclatent-ils?

Le bourgeon contient de petites feuilles repliées sur elles-mêmes. Ces feuilles ont commencé à se développer bien avant l'arrivée du printemps. Lorsque le temps s'adoucit, à la fin de l'hiver, la sève se répand dans le tronc et dans les branches. Les feuilles absorbent la sève et grandissent à l'intérieur du bourgeon. Bientôt, le bourgeon éclate. Les feuilles se déplient, grandissent et s'épanouissent au soleil.

Si l'on cueille une branche d'arbre avec un bourgeon au début du printemps, on peut observer la naissance des feuilles. Il suffit de placer la branche dans un bocal rempli d'eau et d'exposer ce bocal au soleil. Au bout de quelques jours, le bourgeon va éclater et les feuilles se déplieront exactement comme sur un arbre. Vous pouvez en faire l'expérience chez vous quand apparaissent les bourgeons.

Pourquoi les arbres ont-ils des feuilles différentes?

Tous les arbres ont besoin de feuilles. Ce sont elles qui assurent sa nourriture. Mais les feuilles consomment beaucoup d'eau. Plus elles sont grandes, plus elles absorbent d'eau. Les arbres qui poussent dans des régions humides peuvent porter de grandes feuilles. Ils ont suffisamment d'eau à leur fournir. Dans les pays plus froids, les arbres ont de plus petites feuilles. Les oliviers des pays secs ont aussi de petites feuilles.

Certains arbres ne perdent pas leurs feuilles en hiver: c'est le cas des sapins. D'autres, comme les chênes, les marronniers ou les érables perdent toutes leurs feuilles à l'automne. Ils peuvent ainsi économiser l'eau en hiver.

Chêne

Pin d'Écosse

Marronnier

Saule Pleureur

Pourquoi les feuilles changent-elles de couleur en automne?

Seules les feuilles qui tombent en hiver changent de couleur. Avant de tomber, les feuilles sèchent et perdent la chlorophylle qui les teintait en vert.

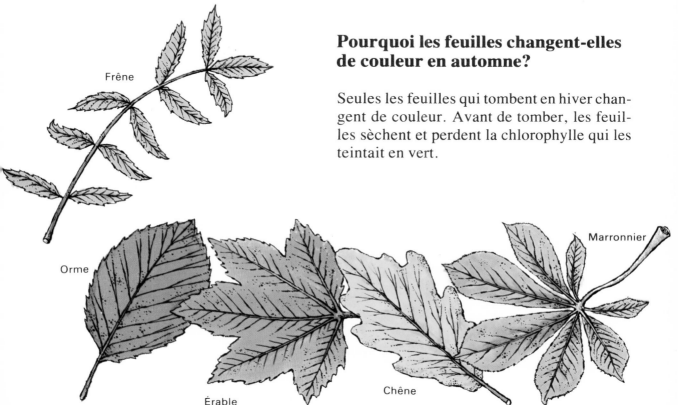

Frêne

Orme

Marronnier

Érable

Chêne

Les plantes comestibles

Quelles parties des plantes mangeons-nous?

Presque toutes les parties d'une plante sont comestibles, quand la plante est bonne à manger. Les racines et les feuilles peuvent aussi être mangées. Les carottes, les betteraves et les salsifis sont des racines. Nous mangeons aussi les feuilles de salade, les graines de pois, de cacahuètes, de café ou de noix.

Dans certains pays, on consomme la racine de gingembre. On l'utilise aussi en la broyant. C'est une épice parfumée.

Quelles graines et quels fruits mangeons-nous?

La graine de cacao est très amère. Mais quand on la mélange à du sucre, elle permet de faire du chocolat. Nous utilisons aussi la graine de café, après l'avoir fait griller. Les cacahuètes, les noix et les amandes permettent de faire de l'huile.

Certains fruits sont très juteux; on peut les presser facilement. C'est le cas des citrons et des oranges. Nous faisons aussi des boissons à l'aide de feuilles de menthe ou de verveine.

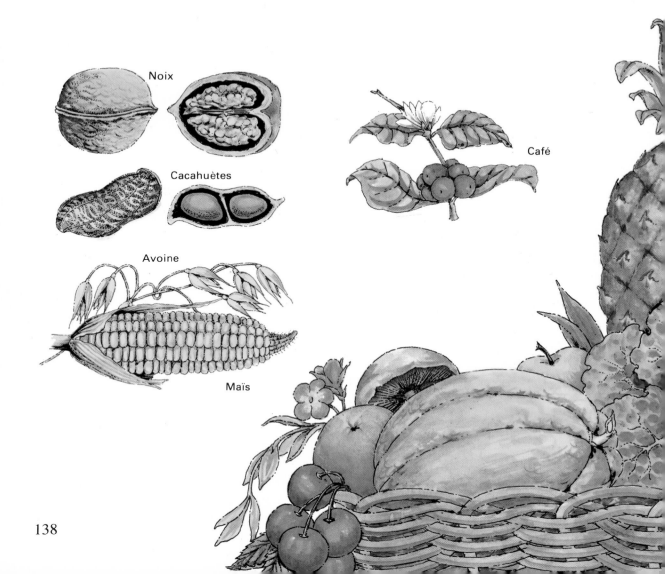

Noix

Cacahuètes

Café

Avoine

Maïs

Quelles tiges et quelles feuilles pouvons-nous manger?

Les tiges de céleri sont comestibles. On peut les manger crues ou bien cuites. Dans certains pays, les gens mâchent la tige de canne à sucre. La canne à sucre contient un jus sucré. Pour extraire complètement ce sucre, il faut presser et écraser la tige.

Les animaux peuvent se nourrir de plantes que nous ne pourrions pas manger. Leur estomac leur permet de *digérer* des aliments plus durs. C'est ainsi que l'âne peut avaler les chardons. Nous cultivons une grande variété de plantes pour leurs feuilles comme la laitue, le chou, les épinards et les poireaux. Nous mangeons aussi des herbes comme assaisonnement telles que le persil, l'estragon, la ciboulette ou le cerfeuil.

Carotte

Betterave

Gingembre

Canne à sucre

Céleri

L'UNIVERS
ET LES GRANDES
DÉCOUVERTES

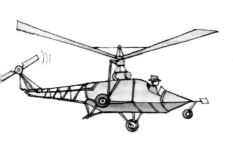

La roue

Quand a-t-on inventé la roue?

Personne ne sait exactement quand la roue a été inventée. On pense qu'elle est originaire de Mésopotamie. La Mésopotamie est l'ancien nom de l'Iraq.

On a retrouvé en Mésopotamie une dalle de pierre qui portait une étrange inscription. Au milieu de cette inscription, on distingue une sorte de traîneau, posé sur quatre roues. Les hommes auraient donc inventé la roue 4 000 ans avant J.C.

Les premières roues étaient-elles différentes des nôtres?

Les roues les plus anciennes étaient faites de trois pièces de bois assemblées. Vous pouvez les voir autour du chariot dessiné ci-dessus. Ces roues étaient généralement cerclées de cuir. Mais elles devaient être très lourdes.

On a inventé les roues à *rayons* environ 2 000 ans avant J.C. Ces roues étaient plus légères, puisqu'elles étaient creuses. Dans les pays d'Occident, les hommes étaient très en retard. Il semble que la roue ne soit appa-

rue dans nos pays qu'en 500 avant J.C. Les habitants de l'Égypte ancienne dont les chars étaient déjà munis de roues à rayons, avaient donc 1 500 ans d'avance sur nous.

Comment faisaient les gens avant que la roue soit inventée?

La roue est une invention extrêmement précieuse. Elle est au départ de toutes sortes d'autres inventions, dont nous dépendons aujourd'hui. Sans la roue, il n'y aurait pas d'engrenage; donc pas de montre, pas de bicyclettes ni de machines comme toutes celles que nous utilisons. Autrefois, les hommes posaient les lourdes charges sur des troncs d'arbres, qu'ils faisaient rouler sur le sol.

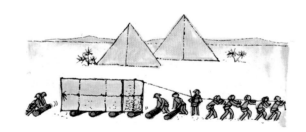

corps. On peut donc ainsi soulever des objets très lourds. Lorsque le poids est vraiment important, on utilise deux ou trois poulies successives. Ce système est représenté sur le dessin en bas à gauche.

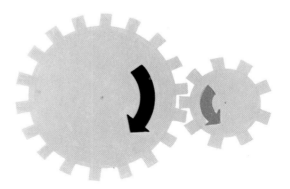

La roue permet-elle de soulever des poids?

Certaines roues peuvent aussi servir à hisser des objets. Ces roues s'appellent des *poulies*. Une corde passe à travers la poulie, comme le montre le dessin ci-dessus. Les hommes tirent sur la corde en s'aidant du poids de leur

A quoi servent les engrenages?

Les *engrenages* sont constitués de roues dentelées. Ces roues s'entraînent entre elles. Elles permettent aussi de changer de vitesse. Le dessin ci-dessus reproduit un engrenage. Lorsque la grande roue fait un tour complet, la petite roue en fait deux. La petite roue n'a que neuf dents alors que la grande en compte dix-huit. Si on rajoutait une roue encore plus grande, avec trente-six dents, elle irait quatre fois moins vite que la petite roue. On peut aussi se servir des engrenages pour que les roues aillent plus vite : ce système est utilisé sur les bicyclettes. Chaque fois que l'on fait un tour de pédale, la petite roue arrière est entraînée par la chaîne. Elle fait plusieurs tours et entraîne la roue de bicyclette. Sur certains vélos, on place un changement de vitesse. Il fonctionne avec plusieurs engrenages.

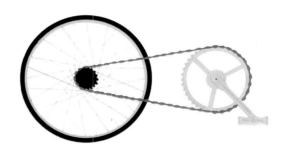

Le jour et la nuit

Pourquoi le jour et la nuit durent-ils plus ou moins longtemps?

La Terre tourne autour du Soleil. Elle accomplit un tour complet en 24 heures. Durant cette période, elle expose toujours une moitié de sa surface aux rayons du Soleil. Quand il fait jour dans nos pays, il fait nuit dans l'hémisphère sud. Puis, quand la Terre aura encore tourné, le soir tombera chez nous, puis la nuit. Ce sera l'aube, puis le jour dans l'autre hémisphère.

Si la Terre tournait toujours de la même façon tout au long de l'année, les jours et les nuits dureraient toujours aussi longtemps. Mais la Terre tourne sur son axe et l'angle de cet axe est différent au cours de l'année.

Lorsque nous sommes en été, c'est que la terre se penche vers le Soleil sur notre côté. Les rayons du Soleil brillent plus longuement sur notre hémisphère. Nous sommes plus proches du Soleil. Les journées sont plus longues.

En hiver, par contre, la Terre penche de l'autre côté. Nos pays s'écartent du Soleil. Les jours sont plus courts et les nuits sont plus longues. Pour l'autre hémisphère, c'est l'été.

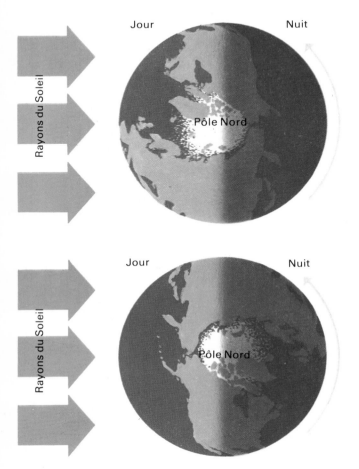

Ci-dessus : Dans le dessin du haut, les rayons du Soleil éclairent le bas de la Terre. C'est le jour pour cette partie du monde. Plus bas, la Terre a tourné. Le Soleil éclaire la partie haute de la Terre.

A droite : Les rayons du Soleil brillent sur le côté de la Terre qui leur fait face. De l'autre côté, c'est la nuit. Entre les deux, c'est l'aube ou le crépuscule.

Pourquoi y a-t-il 24 heures par jour?

Il faut 24 heures pour que la Terre fasse un tour complet autour du Soleil. En 24 heures, nous voyons passer une journée et une nuit entières. Nos horloges ont en général un cadran de douze heures. Huit heures du matin et huit heures du soir se lisent de la même façon sur une pendule. Pour bien marquer la différence, nous employons les termes « quatorze heures » ou « dix-huit heures » quand nous parlons des heures de l'après-midi. Nous pouvons aussi préciser : huit heures du matin ou huit heures du soir.

Aujourd'hui, on fabrique des montres qui indiquent les vingt-quatre heures. Ce sont des montres digitales. Elles ne possèdent pas d'aiguilles. Ce sont des chiffres qui s'affichent sur le cadran. Quand il est dix heures du soir, le cadran indique : vingt-deux heures. Le plus souvent, ces montres marchent avec une pile. On n'a pas besoin de les remonter.

Le jour et la nuit

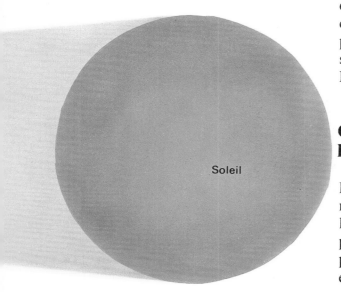

Soleil

Pourquoi dormons-nous la nuit?

Les premiers hommes ont pris l'habitude de dormir la nuit, parce qu'ils ne pouvaient pas chasser dans l'obscurité. Ils s'enfermaient pendant la nuit pour se protéger des bêtes sauvages. Nous avons gardé ces habitudes. Nous pouvons ainsi économiser la lumière.

Certaines personnes dorment-elles le jour?

Dans les pays proches du Pôle, il fait nuit six mois par an et jour six mois par an. Lorsque la Terre s'incline vers le Soleil, le pôle reste presque droit en haut de l'axe. Dans ces pays, les gens sont obligés de dormir le jour en été et de travailler la nuit en hiver.

145

Les quatre saisons

Hiver

Pourquoi y a-t-il quatre saisons?

Dans la plupart des pays, les saisons changent au cours de l'année. Après le printemps viennent l'été, l'automne puis l'hiver. Chez nous, l'été est la saison la plus chaude. Les jours sont longs et les nuits sont courtes. L'hiver est une saison froide. Les nuits y sont beaucoup plus longues. Au printemps, les jours s'allongent, le temps s'adoucit. En automne, l'inverse se produit. Le temps fraîchit et les jours raccourcissent.

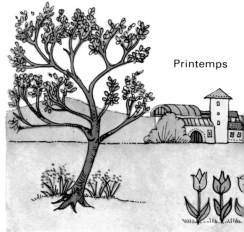

Printemps

Les saisons existent, parce que la Terre se penche vers le Soleil pendant une moitié de l'année. Durant l'autre moitié, elle penche dans l'autre sens. La Terre tourne sur elle-même comme une toupie. En même temps, elle tourne autour du Soleil. Il lui faut 24 heures pour accomplir un tour complet. Si la Terre tournait toujours dans la même position, les rayons du Soleil la frapperaient toujours de la même façon. Il n'y aurait qu'une saison. Mais la Terre tourne en s'inclinant sur son axe. Quand elle incline notre hémisphère vers le Soleil, c'est l'été chez nous et l'hiver en Amérique du Sud. Par contre, quand l'hiver arrive chez nous, c'est l'été dans l'hémisphère sud.

Été

Quand les saisons changent-elles?

Dans l'hémisphère nord, où nous vivons, l'été arrive au milieu de l'année. C'est à ce moment-là que notre côté s'incline le plus vers le Soleil. Les rayons nous touchent presque à la verticale. A midi, le Soleil est exactement au-dessus de nos têtes. Le jour le plus long de l'année s'appelle le *solstice d'été*. C'est le 21 juin. Le jour le plus court est le 21 décembre. Au *solstice d'hiver*, le Soleil est très loin de nous. Par contre, il est très près des pays de l'hémisphère sud.

Automne

Tous les pays ont-ils quatre saisons?

Les pays ont des saisons plus ou moins marquées. Tout dépend de l'endroit où ils sont situés sur la Terre. Les pays proches de l'*Équateur* (une ligne imaginaire qui passe exactement au milieu de la Terre) ne connaissent pas de saisons comme les nôtres. Ces pays se trouvent au milieu de la Terre. Quel que soit l'angle où penche la Terre vers le Soleil, ils reçoivent les rayons dans la même position. Dans ces pays, il fait chaud et humide tout au long de l'année. La végétation n'est pas la même que chez nous.

Plus on s'écarte de l'Équateur, vers le nord ou vers le sud, plus la différence est grande entre l'été et l'hiver. Les pays situés très au nord ou très au sud ne connaissent pas le printemps ni l'automne. Ils n'ont que deux saisons : l'été et l'hiver. En été, le jour est si long qu'il ne fait presque jamais nuit. En hiver, par contre, il n'y a que quelques heures de jour. C'est ce qu'on appelle la *nuit polaire*, qui dure six mois. Quand on habite ces pays, on se couche le jour en été et on travaille pendant la nuit en hiver.

Cueillette des pommes

Pourquoi fait-on les moissons et les récoltes en automne?

Il y a quatre saisons dans nos pays. Les plantes poussent au fur et à mesure des saisons et du climat. En hiver, il fait trop froid. Les graines ne peuvent pas éclore. Elles attendent le printemps pour germer et sortir de terre. Elles fleurissent pendant les longues journées ensoleillées d'été et ne sont mûres qu'en automne. Les plantes sont prêtes à être moissonnées au début de l'automne. C'est aussi à ce moment-là que les fruits sont mûrs. L'automne est la saison où les agriculteurs travaillent le plus.

Céréale

Champ labouré

Les vagues et les marées

Comment naissent les vagues?

Les vagues sont formées par le vent. Quand il souffle sur la mer, il pousse l'eau vers le fond. L'eau remonte ensuite vers la surface en formant une vague.

Quelles sont les vagues les plus hautes?

On ne sait pas exactement quelle hauteur peuvent atteindre les vagues. Mais les navigateurs ont signalé des vagues qui faisaient plus de vingt mètres de haut et plus de deux cents mètres de long.

Est-ce que les vagues avancent?

On a l'impression que les vagues avancent, mais c'est faux. Si l'on regarde un morceau de bois qui flotte, on constate qu'il reste toujours à la même place. La vague se soulève, puis redescend. Vous pouvez en faire

l'expérience : prenez une corde. Attachez-en un bout et remuez l'autre de haut en bas. Des vagues se forment sur la corde mais la corde elle-même ne change pas de place.

Pourquoi y a-t-il des marées?

La mer monte et descend deux fois par jour.

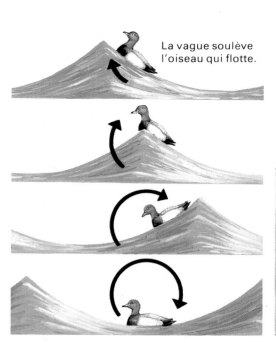

La vague soulève l'oiseau qui flotte.

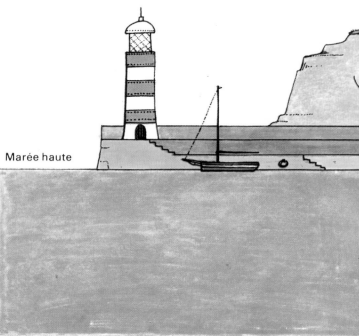

Marée haute

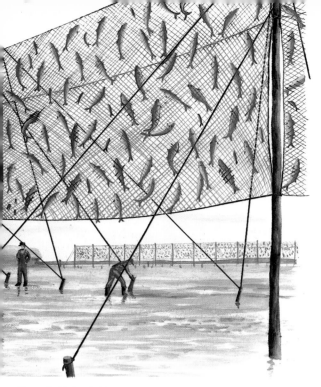

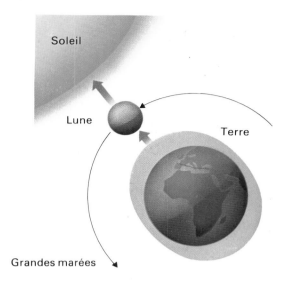

Dans la Baie de Fundy, au Canada, la marée atteint 15 mètres. Les pêcheurs en profitent pour attraper le poisson.

Grandes marées

Ces marées sont produites par la Lune et par le Soleil. L'océan est attiré par eux tandis que la Terre tourne. La Lune les attire plus que le Soleil, parce qu'elle est plus proche de la Terre.

Toutes les marées sont-elles semblables?

Les marées sont plus ou moins importantes. Lorsque la Lune et le Soleil sont alignés par rapport à la Terre, ils attirent davantage les mers. Cela crée les grandes marées. Lorsque la Lune et le Soleil s'écartent l'un de l'autre, les marées sont moins grandes. Les croquis ci-dessus et ci-dessous le montrent bien.

Marée basse

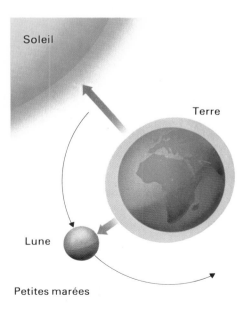

Petites marées

149

Le climat

Y a-t-il plusieurs sortes de climats dans le monde?

Certains pays ont des climats chauds. D'autres, des climats froids ou tempérés. Les climats les plus chauds règnent autour de l'Équateur, c'est-à-dire près du milieu de la terre. Plus on s'écarte de l'Équateur, plus on s'éloigne du soleil et plus il fait froid. Le pôle Sud et le pôle Nord ont des climats très froids. Il y a aussi des différences à l'intérieur des climats chauds. Dans les climats *tropicaux*, l'été est chaud et humide; l'hiver est frais et sec. Dans les déserts, par contre, il y a du vent toute l'année qui dessèche la terre. Il ne pleut pratiquement jamais.

Sous un climat *tempéré*, comme le nôtre, l'été est généralement chaud et sec, l'hiver froid et humide. Mais certains pays tempérés reçoivent de la pluie tout au long de l'année.

Dans les pays à climat froid, l'hiver dure plus longtemps que l'été. Il gèle pendant plusieurs mois. Au pôle Nord et au pôle Sud, il gèle toute l'année. On ne peut rien cultiver et l'homme a beaucoup de mal à y survivre. Seuls les phoques et les ours y sont heureux.

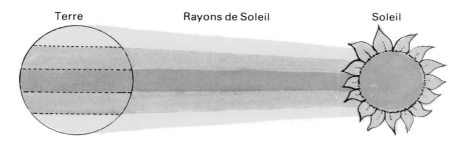

Terre   Rayons de Soleil   Soleil

Pourquoi les climats sont-ils si différents?

Les pays proches de l'Équateur sont des pays chauds. Le Soleil frappe directement le sol. Il est toujours haut dans le ciel et sa chaleur dure longtemps. Les pays froids, par contre, reçoivent les rayons du Soleil à l'oblique. Le Soleil semble toujours bas dans le ciel.

Comment est le climat à l'Équateur?

Il fait chaud toute l'année dans les pays proches de l'Équateur. Il n'y a pas de saisons comme chez nous, avec le printemps, l'automne et l'hiver. Il y pleut souvent aussi. La végétation pousse, fleurit et meurt tout au long de l'année. Chaque plante suit son propre cycle.

Comment peut-on prévoir le temps?

Si on examine le ciel et les vents, on peut prévoir les changements de temps. On peut aussi calculer les variations de température et prévoir les tempêtes et les pluies. Certains nuages apportent la pluie. D'autres sont signes de beau temps. Mais ces observations ne permettent pas de prévoir le temps plusieurs jours à l'avance. Certaines personnes ont besoin de savoir quel temps il fera dans huit jours ou dans un mois. Ils s'adressent alors aux météorologues.

L'équipe de météorologues reçoit des informations qui viennent de toutes les stations du pays. Ils savent ainsi quel temps il fait au nord, au sud, et même dans les pays proches. Ils peuvent alors prévoir le temps des jours suivants. Les bateaux qui naviguent en pleine mer leur envoient eux aussi des rapports. Les météorologues sont également aidés par l'aviation. Des avions d'observation prennent des photos des nuages. De nos jours, on utilise aussi beaucoup de photos prises par les satellites. Elles montrent la formation des nuages au-dessus du monde entier. On peut ainsi calculer l'influence d'un climat sur un autre. Toutes ces informations sont rassemblées puis analysées dans les stations de météorologie. Les photos sont comparées. On regarde le temps qu'il a fait depuis quelques jours. Cela permet de prévoir quel temps il fera le lendemain, selon les déplacements des nuages et des masses d'air chaud ou froid.

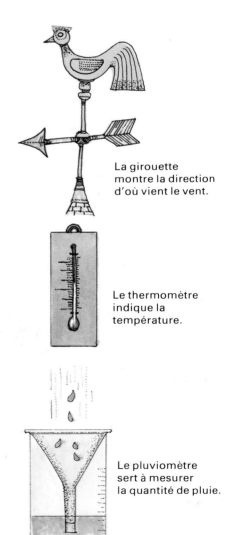

La girouette montre la direction d'où vient le vent.

Le thermomètre indique la température.

Le pluviomètre sert à mesurer la quantité de pluie.

151

Le vent, la pluie, la neige

Pourquoi pleut-il?

L'air qui nous entoure est imbibé d'eau. Le soleil absorbe cette eau. On le constate facilement en mettant des habits à sécher au soleil.

Quand l'eau disparaît ainsi, elle se transforme en vapeur et se mélange à l'air. Plus tard, cette vapeur se transformera à son tour en pluie. La quantité d'eau contenue dans l'air influence les changements de temps.

La vapeur est absorbée par un air chaud. Plus l'air monte, plus il refroidit. Il se transforme alors en nuages. Quand l'air est vraiment froid, les nuages ont du mal à retenir l'eau. Elle retombe en pluie sur la terre.

Toute l'eau des pluies se rejoint dans des ruisseaux. Les ruisseaux courent vers des rivières, qui se jettent dans des fleuves. Les fleuves rejoignent la mer. Là, l'eau est à nouveau absorbée par le soleil. Elle se transforme en vapeur et le cycle recommence.

Comment se forment la neige et la grêle?

Lorsqu'il fait très froid, l'eau contenue dans les nuages se met à geler. Elle se transforme en petits cristaux de glace. Un flocon de neige est constitué de cristaux de glace agglomérés. Mais il ne neige que s'il fait très froid sur la terre. Sinon, les flocons fondent en tombant du ciel et redeviennent de la pluie. La grêle se forme comme la neige. Elle arrive sur terre sous forme de gouttes de pluie congelées.

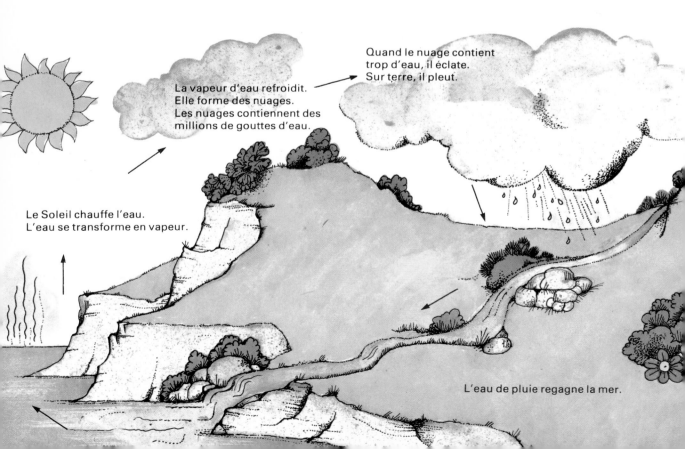

La vapeur d'eau refroidit. Elle forme des nuages. Les nuages contiennent des millions de gouttes d'eau.

Quand le nuage contient trop d'eau, il éclate. Sur terre, il pleut.

Le Soleil chauffe l'eau. L'eau se transforme en vapeur.

L'eau de pluie regagne la mer.

Il peut faire très froid en altitude.

Force 1 : la fumée s'envole de côté.

Pourquoi le vent souffle-t-il?

Ce sont les mouvements de l'air qui créent le vent. On ne peut pas voir l'air bouger, mais on peut observer ce qui se passe quand le vent souffle.

Lorsque la température change, l'air se déplace. Il suffit que le soleil brille pour que l'air se réchauffe. Il monte dans le ciel et l'air froid descend à sa place. Si ce mouvement se fait rapidement, le vent se met à souffler.

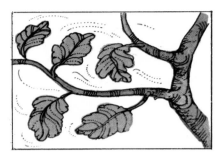

Force 2 : les feuilles tremblent.

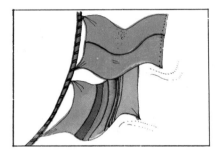

Force 3 : les drapeaux claquent.

Peut-on mesurer la vitesse du vent?

On peut mesurer la *force* du vent, c'est-à-dire la vitesse à laquelle il se déplace. Les dessins de cette page vous montrent ce qui se passe selon la force du vent. Un vent force 1 n'est qu'une douce petite brise, mais un vent force 7 est déjà une tempête. Les marins comptent jusqu'à la force 12, qui déclenche des ouragans.

La girouette et la manche à air permettent de savoir dans quelle direction souffle le vent. La girouette tourne, tandis que la manche à air se gonfle. On parle de vent du sud lorsque le vent souffle du sud vers le nord. Un vent d'ouest vient de l'ouest et souffle vers l'est.

Force 4 : les brindilles s'envolent.

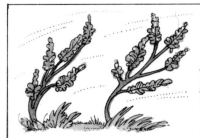

Force 5 : les arbustes s'agitent.

Force 6 : les branches se balancent.

Force 7 : les troncs bougent.

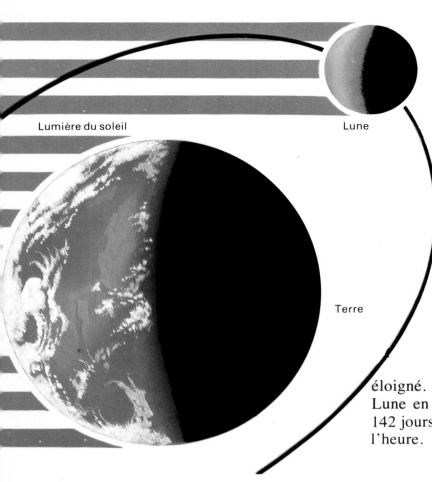

Lumière du soleil

Lune

Terre

La Lune

éloigné. Si nous pouvions nous rendre sur la Lune en voiture, il faudrait rouler pendant 142 jours, à la vitesse moyenne de 115 km à l'heure.

Pourquoi la Lune brille-t-elle?

La Lune semble changer de forme. Certaines nuits, elle ressemble à une grosse boule d'argent. Plus tard, elle diminue et se transforme en croissant. Mais en fait, la Lune ne change pas de forme. Elle reste toujours ronde. Nous avons l'impression qu'elle croît et qu'elle décroît, parce que nous ne voyons que les parties de la Lune éclairées par le Soleil. La Lune ne produit pas de lumière. Son éclat n'est que le reflet du Soleil.

A quelle distance de la Terre se trouve la Lune?

La Lune est notre voisine la plus proche dans l'espace. Elle se situe à 390 000 kilomètres de la Terre. Le Soleil est près de 400 fois plus

Pourquoi la Lune change-t-elle de forme?

La Lune fait le tour de la Terre en 29 jours et demi. Elle est notre *satellite*. La Lune nous

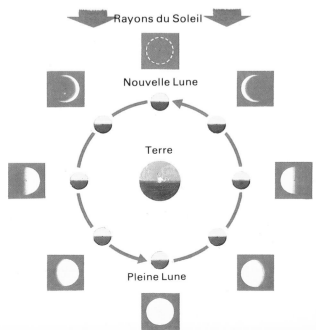

Rayons du Soleil

Nouvelle Lune

Terre

Pleine Lune

154

montre toujours le même côté de sa surface. Elle reste dans notre *orbite* à cause de la gravité qu'exerce la Terre. La Terre aspire la Lune. Les spécialistes pensent que la Lune et la Terre ont le même âge, environ 4 500 millions d'années.

Le dessin de la page 154 explique pourquoi la Lune semble changer de forme. Les rayons du Soleil l'éclairent toujours sous le même angle, alors que la Lune tourne. Nous ne voyons que la partie éclairée.

Si vous regardiez la Lune à travers un télescope, elle vous apparaîtrait comme sur ce dessin. Autrefois, on pensait que les taches noires sur la Lune étaient des mers. Nous savons aujourd'hui qu'il n'y a pas de mer sur la Lune. Les taches noires sont des plaines. La Lune est un désert sans vie. Il n'y a ni pluie, ni vent, ni nuages sur la Lune.

Quelle est la taille de la Lune?

La Lune nous semble presque aussi grande que le Soleil, mais elle est beaucoup plus petite. Elle paraît très grosse parce qu'elle est proche de la Terre.

Pourrait-on vivre sur la Lune?

La Lune est un monde sec et sans vie. Il n'y a pas d'air à respirer, pas de pluie ni de neige. Il n'y a pas non plus de vent ni de nuages qui filtrent les rayons du soleil. A midi, il fait près de 130 ° sur la Lune. La nuit, la température tombe jusqu'à — 140°. (La plus basse température qu'on ait enregistrée sur terre est de — 80°).

C'est pour ces raisons que les cosmonautes doivent porter des combinaisons spéciales. Elles les protègent du froid et du chaud.

La surface de la Lune est couverte de trous qu'on appelle des *cratères*. Certains de ces cratères s'étendent sur 300 kilomètres de diamètre.

En fait, la Lune est à peu près de la taille de l'Australie, comme le montre le dessin ci-dessus (l'Australie est représentée en rouge). La Lune est trop petite pour retenir de l'atmosphère autour d'elle. C'est pour cette raison qu'on ne trouve pas d'air sur la Lune.

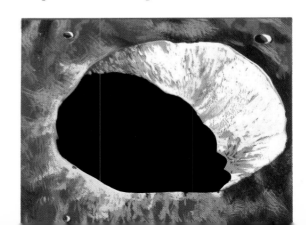

Les bruits

Pourquoi entend-on des bruits?

L'air est rempli de toutes sortes de bruits : des bruits forts, des bruits doux, des bruits agréables ou désagréables. Les dessins de ces deux pages vous montrent des gens et des objets qui font du bruit : un réveil, un instrument de musique, un chat qui ronronne, un enfant qui parle, une cloche et une sirène, un tambour et un gong.

Tous ces bruits sont produits par le déplacement de quelque chose dans l'air. Pour que nos oreilles entendent un son, il faut que quelque chose bouge rapidement dans l'air et le fasse vibrer. Les vibrations voyagent dans l'air. On les appelle des *ondes sonores*.

Les bruits ont-ils besoin de l'air pour se déplacer?

Les bruits ont besoin de voyager à travers une matière. Ce peut être l'air, mais ce peut aussi être l'eau ou le métal. S'il n'y avait pas d'air, nous pourrions traverser une rue pleine de voitures sans entendre un seul bruit. Sur la Lune, où il n'y a pas d'air, on n'entendrait pas un coup de fusil.

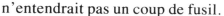

Qu'est-ce que le mur du son?

Certains avions se déplacent plus vite que les ondes sonores. Dès qu'un avion dépasse la vitesse du son, il dérange l'air devant lui. Cet air produit des vagues de son. On entend de grands « bang » sur la terre.

De quelles matières sont faites les cloches?

On peut fabriquer des cloches dans toutes sortes de matières : le bronze, la terre cuite, le verre et même le bois. Les grandes cloches sont généralement en bronze. Elles vibrent et résonnent quand on les frappe. La plus grande cloche du monde se trouve au Kremlin, à Moscou. Elle pèse 196 tonnes. Mais elle s'est cassée avant qu'on puisse l'utiliser une seule fois.

En Asie, on utilise plutôt les gongs. Ce sont des disques de métal. Ils résonnent très longuement quand on les fait vibrer.

Comment peut-on calculer à quelle distance a éclaté un orage?

La lumière voyage un million de fois plus vite que le son. Vous pouvez le constater lors d'un orage : l'éclair et le coup de tonnerre se produisent au même instant. Mais nous voyons l'éclair avant d'entendre le tonnerre.

Si l'on entend le tonnerre trois secondes après avoir vu l'éclair, cela signifie que l'orage éclate à un kilomètre de là. En comptant les secondes qui séparent l'éclair du coup de tonnerre, vous saurez si l'orage se rapproche ou s'éloigne.

157

Les appareils ménagers

Quand a-t-on fabriqué les premiers appareils ménagers?

Au siècle dernier, il n'y avait presque aucun appareil dans les maisons. On faisait tout le travail à la main. Il fallait balayer et battre les tapis, puisque l'aspirateur n'existait pas. On chauffait les pièces avec du bois et du charbon et il fallait garnir souvent les poêles. Le téléphone et l'électrophone n'étaient pas encore inventés. Les gens s'écrivaient des lettres pour se donner des rendez-vous. Ils jouaient eux-mêmes de la musique et bavardaient au lieu de regarder la télévision.

Les premiers téléphones et les premiers tourne-disques étaient bien différents de ceux d'aujourd'hui. Ils coûtaient très chers et seuls les gens riches pouvaient en posséder. On inventa au début du siècle toutes sortes de machines étranges, comme la théière-réveille-matin représentée ci-dessous.

Les premiers téléphones fonctionnaient avec une manivelle.

Quand apparurent les premières machines?

La machine à coudre fut inventée par Isaac Singer en 1851. Peu après, on fabriqua les premiers fers à repasser électriques et des aspirateurs, ainsi que des cuisinières à gaz. Toutes ces machines rendirent le travail ménager plus facile. On pouvait entretenir une maison plus rapidement.

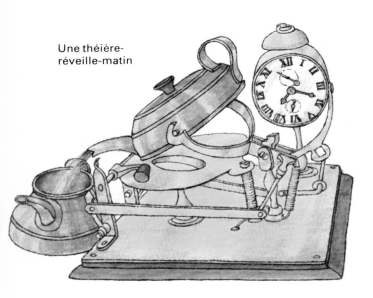

Une théière-réveille-matin

Les premiers tourne-disques (1877) s'appelaient des phonographes. Leur haut-parleur était très grand.

A droite : une salle de bain au 19ᵉ siècle.
1 : la baignoire sur pieds. 2 : le chauffe-eau est relié directement à la douche, au-dessus de la baignoire. 4 : le lavabo est décoré des mêmes motifs que la baignoire et que le siège de cabinet (5). La chasse d'eau est elle aussi décorée (6).

Cet aspirateur marchait comme un accordéon. En aspirant l'air, il enlevait les poussières du tapis.

Comment les appareils ménagers ont-ils changé la vie des gens?

L'invention des appareils ménagers a beaucoup facilité la vie quotidienne. Autrefois, les familles aisées étaient servies et aidées par un personnel nombreux. Il y avait des domestiques chargés du ménage, d'autres de la vaisselle et de la cuisine. D'autres encore s'occupaient du chauffage. Lorsque quelqu'un voulait prendre un bain, il fallait faire chauffer l'eau à la cuisine, puis la monter dans une chambre. On lavait aussi tout le linge à la main. Tous ces travaux demandaient beaucoup d'efforts et de temps. Grâce aux machines à laver, aux chauffe-eau, aux radiateurs et à tous les autres appareils ménagers, la vie quotidienne est beaucoup plus simple aujourd'hui. Les maîtresses de maison passent moins de temps à s'occuper de leur ménage et de leur cuisine.

159

L'HOMME
ET
LA TERRE

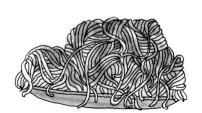

Les grandes constructions

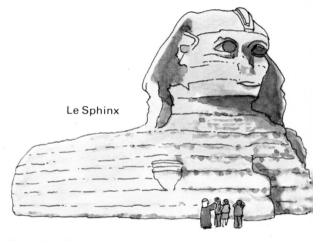

Le Sphinx

Qu'est-ce que la statue de la Liberté?

La statue de la Liberté se dresse à l'entrée du port de New York, aux États-Unis. Cette statue géante représente une femme qui porte un flambeau. Ce flambeau s'illumine chaque nuit.

La statue de la Liberté a été offerte par la France aux États-Unis d'Amérique en 1884. Elle mesure 93 mètres de haut. On l'a transportée par bateau en pièces détachées. On peut monter dans la statue par un escalier intérieur, qui débouche sur la couronne.

Quelle était l'énigme du sphinx?

Le sphinx de Gizeh, en Égypte, est une énorme sculpture qui représente un lion à tête de femme. Le sphinx fut construit il y a 4 000 ans. Il était le héros de légendes égyptiennes et grecques. La mythologie grecque raconte que le sphinx posait une question à tous ceux qui passaient devant lui. S'ils ne trouvaient pas la solution, le sphinx les dévorait. Seul, Œdipe, un jeune Grec, sut résoudre l'énigme. « Qui a quatre pieds le matin, deux

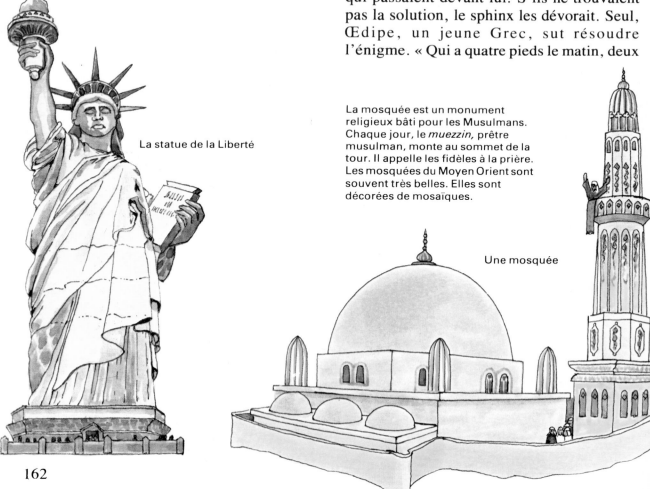

La statue de la Liberté

La mosquée est un monument religieux bâti pour les Musulmans. Chaque jour, le *muezzin,* prêtre musulman, monte au sommet de la tour. Il appelle les fidèles à la prière. Les mosquées du Moyen Orient sont souvent très belles. Elles sont décorées de mosaïques.

Une mosquée

pieds à midi et trois pieds le soir? » demandait le sphinx. Œdipe répondit que c'était l'homme, qui marchait à quatre pattes, puis debout, puis avec une canne quand il était vieux.

Qui a construit la cathédrale Saint Basile?

La cathédrale représentée ci-contre ressemble à un château de contes de fées. Elle se situe à Moscou, en URSS. La cathédrale Saint Basile est peinte de plusieurs couleurs et certains de ses toits sont recouverts d'or. Le tsar Ivan le Terrible ordonna sa construction en 1554. Mais les travaux ne furent achevés qu'en 1679.

La Cathédrale Saint Basile

Arc de triomphe

Pourquoi les gens habitaient-ils des châteaux?

Au Moyen Age, la terre était divisée entre des seigneurs. Ces seigneurs se faisaient souvent la guerre.

Pour être à l'abri de leurs ennemis, ils construisaient de grandes forteresses. Ces châteaux étaient presque imprenables. Des douves, des ponts-levis et des donjons les protégeaient. A l'intérieur vivaient le seigneur, sa famille et les hommes d'armes.

Château

Un château ressemble à une petite ville. Ce n'était pas seulement l'habitation du seigneur. On trouvait dans le château des étables, des écuries, des ateliers et une chapelle. En temps de guerre, les paysans venaient s'y réfugier.

163

Pourquoi a-t-on construit la tour Eiffel?

On construit des tours pour différentes raisons. Certaines sont érigées pour porter des antennes de radio ou de télévision. D'autres servent d'habitations. D'autres encore sont de purs exercices d'architecture.

La tour la plus célèbre du monde entier fut construite par un ingénieur du nom de Gustave Eiffel. Eiffel construisit sa tour au centre de Paris, pour l'exposition universelle de 1889. C'était une prouesse technique pour l'époque, et la preuve qu'on pouvait se servir de matériaux nouveaux comme le fer et l'acier en architecture. Cette tour pèse plus de 7 000 tonnes et ses escaliers comptent 1 710 marches. Trois ascenseurs, dont un électrique, montent jusqu'au 2e étage. Le premier étage est situé à 57,63 m du sol, le second à 115,73 m, le troisième à 276,13 m.

Par temps clair, du sommet de la tour Eiffel, on peut voir jusqu'à 60 km vers le nord, 70 km vers l'ouest, 55 km vers le sud et 65 km vers l'est.

Aujourd'hui, la tour Eiffel porte des antennes de radio et de télévision.

Pourquoi la tour de Pise est-elle célèbre?

La tour de Pise s'appelle aussi la tour penchée. Elle a été construite à Pise, en Italie. Elle était destinée à abriter les cloches de la cathédrale.

Cette tour a commencé à pencher sur la droite avant d'avoir dépassé dix mètres de hauteur. Les architectes et les maçons continuèrent pourtant à l'élever. Aujourd'hui, la tour penche tellement qu'elle semble sur le point de tomber. Si l'on monte au sommet de la tour et qu'on tend un fil vers le sol, ce fil touchera la terre à cinq mètres du bas de la tour. Cet étrange monument reçoit des visiteurs du monde entier.

Galilée était un savant italien. Il fit des expériences depuis la tour de Pise. Galilée lança plusieurs objets du sommet de la tour, au même moment. Ils touchèrent le sol ensemble. Pourtant, ces objets ne pesaient pas tous le même poids. L'expérience prouva que tout tombe à la même vitesse.

Y a-t-il différentes sortes de ponts?

L'homme construit des ponts depuis des milliers d'années. Il s'en sert pour faire passer des routes ou des voies ferrées au-dessus des rivières et des vallées. Le premier pont fut probablement construit par hasard : il a suffi qu'un tronc d'arbre tombe au-dessus d'une rivière pour que les hommes puissent la traverser. En observant ce pont naturel, les hommes eurent l'idée de fabriquer eux-mêmes des ponts. Lorsque la rivière était large, ils ont appris à soutenir le pont par des piliers de pierre ou de bois.

L'homme a aussi inventé le pont suspendu; ces ponts étaient d'abord fabriqués en cordes ou en lianes tressées. On les accrochait de part et d'autre d'une rivière, au-dessus de l'eau. On utilise toujours ces ponts en Asie et en Amérique du Sud. Ils se balancent beaucoup. Il ne faut pas avoir le vertige pour y passer. Les ponts les plus longs du monde sont des ponts suspendus. Le plus connu d'entre eux se trouve à San Francisco, aux États-Unis. Il est soutenu par d'énormes câbles d'acier.

Le pont que vous voyez représenté ci-dessus repose sur trois piliers. Il laisse le passage aux bateaux. Les Romains ont bâti de nombreux ponts comme celui-ci. Certains sont toujours debout. On fabrique encore des ponts comme celui-ci. Celui du port de Sidney, en Australie, est entièrement construit en acier.

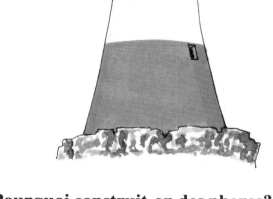

Pourquoi construit-on des phares?

Les phares sont des bâtiments difficiles à construire. Ils se dressent souvent sur des rochers, au bord de la mer, sur des falaises ou à l'entrée des ports. Au sommet du phare se trouve une lanterne. Elle tourne sur un rythme précis. Cette lumière guide les bateaux qui rentrent au port.

Les marins qui croisent en mer se repèrent grâce à elle.

Au début, la lumière était produite par un grand feu qui brûlait dans un récipient de métal. Mais aujourd'hui, les phares possèdent de puissantes lampes électriques. Ils ont aussi des réflecteurs qui envoient les rayons lumineux sur une distance de deux kilomètres. Certains ont aussi une *corne de brume*.

165

La construction d'une maison

Un architecte

Comment construit-on une maison?

Pour construire une maison, il faut d'abord faire appel à un architecte. L'architecte est capable de prévoir la maison et de dessiner les plans. Il calcule la taille de chaque pièce. Il prévoit l'emplacement des portes et des fenêtres et celui des tuyaux et des conduits de cheminées. Chaque détail du plan doit être précis. Il faut aussi que l'architecte calcule le poids de la maison, pour que les murs et les planchers soient assez solides.

Une fois les plans établis, l'architecte appelle des équipes d'ouvriers. Il faut creuser le terrain à l'aide d'un bulldozer. Ensuite, les maçons élèvent les murs. Les charpentiers construisent la charpente. Les couvreurs font le toit. Les plombiers et les électriciens doivent aussi venir poser leurs tuyaux et leurs fils avant que les murs et le sol ne soient achevés.

Un maçon

Dans quels matériaux fabrique-t-on des maisons?

La plupart des maisons de nos pays sont construites en briques, en pierre ou en béton. Mais dans les régions de montagne, on trouve souvent des chalets de bois. Le bois et la brique sont d'excellents matériaux, qui protègent bien de la pluie et isolent du froid et du vent. Le béton sert principalement aux immeubles à plusieurs étages.

Dans d'autres pays, les maisons peuvent être faites en terre battue, en bambou ou en paille. Mais ces maisons ne sont commodes que dans les pays chauds. Autrefois, la plupart des maisons japonaises avaient des murs en papier de riz. Il y avait de nombreux tremblements de terre au Japon et les maisons construites ainsi n'étaient pas dangereuses.

Un charpentier

166

Comment construit-on l'intérieur d'une maison?

L'extérieur d'une maison est constitué de murs et de toits. Mais la maison n'est pas habitable quand l'extérieur est achevé. Il faut encore construire les murs de séparation entre les pièces et y faire passer les tuyaux et les fils électriques.

Il faut aussi prévoir l'escalier si la maison comporte plusieurs étages. On installe l'électricité à l'avance, pour être sûr qu'il y aura suffisamment de câbles. Chaque pièce comporte plusieurs installations électriques : il faut prévoir l'éclairage, mais aussi le chauffage, et l'alimentation des appareils comme le réfrigérateur, les machines à laver, les télévisions. Les personnes qui utilisent le gaz doivent aussi prévoir les tuyaux.

Quand une maison est-elle terminée?

Il faut parfois des mois ou des années pour achever une maison. Après les gros travaux, il faut encore poser les vitres et les portes et faire les peintures. Ensuite, les personnes apportent leurs meubles et installent des rideaux aux fenêtres.

Une maison à demi finie

Ci-dessus : vous pouvez voir les tuyaux de plomberie posés dans la maison, en haut de la page. Il faut encore ajouter des objets comme ceux représentés ci-dessus : un chauffe-eau, des robinets, des radiateurs et l'équipement électrique.

Ci-dessous : la maison est achevée. On peut désormais s'y installer.

167

D'où viennent-ils?

Où poussent les dattes?

Les dattes poussent sur des palmiers qui peuvent atteindre 30 mètres de hauteur. Ces palmiers se trouvent dans des pays chauds, comme l'Égypte et le Moyen-Orient. On se nourrit beaucoup de dattes dans ces pays. Le dessin de droite reproduit un palmier dattier.

Où poussent les oranges?

Les oranges sont des agrumes, comme les citrons et les pamplemousses. Leur jus est riche en sucre et en vitamines. La plupart des oranges que nous mangeons viennent du Brésil, d'Espagne, du Maroc ou d'Israël.

On mange les oranges crues. On peut aussi utiliser les oranges amères pour faire des liqueurs ou des confitures.

D'où vient le thé?

Le thé pousse principalement en Inde, en Chine et à Sri Lanka (Ceylan). Les feuilles de thé poussent sur des buissons. Après avoir cueilli les feuilles, on les fait sécher. Elles se flétrissent et deviennent noires. Une fois les feuilles triées selon leur taille et leur goût, on les met en boîte. Le dessin ci-dessous montre des femmes récoltant le thé à Ceylan.

Comment poussent les cacahuètes?

Les cacahuètes poussent dans les pays chauds, sur de petits buissons. Dès que la plante a fleuri, de fines tiges s'en échappent qui plongent dans le sol. La cacahuète pousse sous terre, à l'extrémité de ces tiges.

En écrasant les cacahuètes, on obtient l'huile que vous connaissez sous le nom d'huile d'arachide.

Comment pousse le riz?

Le riz est une céréale très importante. Il sert de nourriture quotidienne à plus de la moitié des hommes.

Les jeunes pousses de riz sont plantées dans des champs inondés. Dès qu'elles dépassent l'eau de quelques centimètres, on les arrache pour les repiquer. C'est un travail long et éprouvant, car on reste toute la journée dans l'eau.

Le dessin ci-dessus montre le repiquage du riz en Chine.

Comment pousse le raisin?

On cultive deux sortes de raisin : le raisin de table, et celui qui sert à faire du vin. Le raisin pousse sur la vigne. Il faut à la vigne un été chaud et long pour que le raisin soit sucré. On trouve des vignes dans de nombreux endroits. Mais les pays les plus réputés pour leur vin sont la France et l'Italie.

Où trouve-t-on le sucre?

Beaucoup de plantes contiennent du sucre. Mais certaines, comme la betterave et la canne à sucre, sont cultivées uniquement pour leur sucre.

La canne à sucre ne pousse que dans les pays chauds. C'est une plante géante, qui peut atteindre 6 mètres de hauteur. Lorsqu'elle est mûre, on la presse. Il en sort un jus noirâtre et très sucré.

169

La fabrication des tissus

Quand l'homme a-t-il appris à faire des tissus?

L'homme a appris très tôt à faire des tissus. Les Égyptiens utilisaient la fibre de lin pour fabriquer leurs vêtements. On se servait aussi de la laine bien avant Jésus-Christ.

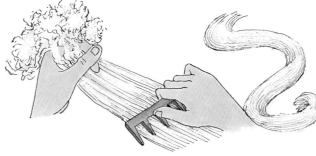

Comment utilise-t-on la laine?

Presque toute la laine que nous achetons vient du mouton. Mais l'homme utilise aussi la laine de chameau, de chèvre ou de lama pour faire du tissu. La meilleure laine vient du mouton mérinos. Un grand mérinos peut donner assez de laine pour confectionner 5 manteaux d'homme.

On commence par tondre la laine sur le dos du mouton, à l'aide de tondeuses électriques. Il faut ensuite la laver. C'est une opération difficile, parce que la laine est souvent très grasse. Dans les usines modernes, la laine passe par plusieurs bains chimiques qui la dégraissent et la nettoient complètement.

Il faut ensuite peigner la laine pour la démêler. Autrefois, on peignait la laine à la main, comme le montre le dessin ci-contre. Aujourd'hui, des machines se chargent d'effectuer ce travail.

A quoi sert de filer?

Une fois qu'elle est peignée, la laine est prête à être filée. Autrefois, on utilisait un *rouet*, ou une *quenouille* comme le montre le dessin ci-contre. Avec une main, la femme tire le fil hors de l'écheveau. Elle le tord entre ses

doigts pour le rendre plus solide. De l'autre main, elle fait tourner la quenouille. Le fil s'enroule autour de la quenouille. Le poids de la quenouille le force en même temps à s'étirer et le fil devient très fin. On file le coton et le lin de la même manière que la laine.

La quenouille est un instrument très utile. Mais il faut beaucoup de temps pour filer un écheveau de laine par ce moyen.

Aujourd'hui, d'énormes machines filent la laine sur de grandes roues. Une seule machine peut entraîner 200 roues.

Comment peut-on colorer un tissu?

Toutes les matières ont une couleur naturelle. Le lin, le coton et la soie sont beige clair. La laine est blanche ou brune selon la couleur du mouton.

Il y a plus de 5 000 ans que l'homme utilise des teintures. Il peut ainsi varier la couleur de ses vêtements.

Pendant longtemps, les teintures étaient fabriquées à partir de plantes ou de coquillages. Mais les teintures modernes sont pour la plupart d'origine chimique.

A quoi sert le tissage?

Dès que le fil est teint, on peut en fabriquer un tissu. Pour cela, il faut le *tisser*.

On pose le fil sur un *métier à tisser :* une série de fils est posée sur un cadre. D'autres fils sont ensuite passés à travers les premiers, au-dessus et en dessous, dans le sens perpendiculaire. Le métier à tisser avance et recule et les fils entrecroisés sont serrés les uns contre les autres. Si on utilise des fils de couleur différente, le tissu sera rayé ou bariolé. Le dessin ci-contre montre un métier à tisser d'autrefois. Aujourd'hui, les métiers sont mécaniques. Ils travaillent très vite et fabriquent des tissus très serrés.

Les différents costumes

Pourquoi porte-t-on des costumes différents selon les pays où l'on habite?

Les dessins de cette page représentent des habitants de pays chauds. Ils vivent dans des régions où les nuits sont parfois fraîches. Mais le jour, il fait si chaud qu'on doit mettre des vêtements très légers. Les habitants de ces pays portent des costumes adaptés au climat. Ce sont des vêtements souples, vastes et longs, qui laissent passer l'air et protègent le corps des rayons du soleil.

Même les habitants du désert portent de longues robes malgré la chaleur. Ils mettent aussi des voiles et des turbans, qui gardent leur visage à l'abri de la chaleur et de la poussière. Leurs vêtements sont généralement colorés. Plus une couleur est claire, plus elle repousse la chaleur. Par contre, les vêtements foncés absorbent la chaleur du soleil.

Des Nigériens

Que porte-t-on dans les pays froids?

Les habitants des pays froids portent eux aussi des vêtements adaptés à leur climat. Ils fabriquent des habits chauds et imperméables au froid et à la pluie. Leurs costumes sont souvent confectionnés à l'aide de fourrure ou de peau. Ils portent plusieurs épaisseurs de vêtements, pour bien conserver la chaleur de leur corps.

Une Indienne

Un Birman

A droite : les costumes de tous ces gens sont adaptés au climat de leur pays.

Des Marocains

172

Des Hollandais

Des Autrichiens

Des Espagnols

Qu'est-ce qu'un costume national?

La plupart des pays ont un costume national. Vous reconnaissez peut-être ceux des dessins ci-dessus. Aujourd'hui, on porte de moins en moins le costume national. Mais autrefois, les gens s'habillaient chaque jour ainsi. Chaque région d'un même pays peut aussi avoir un costume régional. On ne les porte plus maintenant que pour les fêtes; mais ces costumes étaient très adaptés au climat des différentes régions, et au physique des habitants.

Les costumes racontent l'histoire et les coutumes des populations.

Pourquoi les vêtements sont-ils utiles?

Nous devons tous porter des vêtements. Sans habits, notre corps ne pourrait pas conserver sa chaleur. Lorsqu'il fait chaud, nous n'avons pas vraiment besoin de vêtements. Nous en portons quand même, parce que la mode et l'habitude l'exigent.

Certaines personnes mettent les vêtements qui sont à la mode. D'autres portent des costumes qui leur semblent commodes. D'autres encore ont un costume spécial, qui montre leur activité. Les pharmaciens et les infirmiers, par exemple, portent des blouses blanches. Les ouvriers mettent des bleus de travail.

Comment drape-t-on un sari?

Le sari est le costume national des femmes indiennes. Ces trois dessins vous montrent comment il se noue.

On coince un bout du sari dans un jupon, puis on plie le tissu en accordéon. Ensuite, on coince à nouveau le tissu plié dans le jupon. Le morceau de tissu qui reste est jeté en écharpe par-dessus l'épaule.

173

Les vêtements de travail

Pourquoi y a-t-il des costumes spéciaux pour certains métiers?

Pour pratiquer leur métier, certains hommes ont besoin de costumes particuliers.

Regardez les dessins ci-contre. Les hommes représentés ici exercent des métiers différents. Il leur faut des costumes et des chapeaux ou des casques d'un type bien précis. Le pêcheur doit porter un ciré et un chapeau imperméable pour se protéger de la pluie et du vent. Le trappeur se couvre de fourrures pour résister au froid. Le mineur met un casque pour protéger sa tête des chutes de cailloux. Le plongeur revêt une combinaison de plongée, qui maintiendra son corps au chaud même dans les mers froides.

A quoi servent ces costumes?

Tous les différents costumes servent à protéger l'homme dans son travail.

Un cosmonaute ne pourrait pas survivre sans son costume. Sa combinaison spéciale le protège des changements de température dans l'espace. Ces combinaisons doivent être très légères et faciles à enfiler. Son casque reçoit aussi le tuyau d'oxygène qui lui permet de respirer.

Un pêcheur

Un plongeur

Un mineur

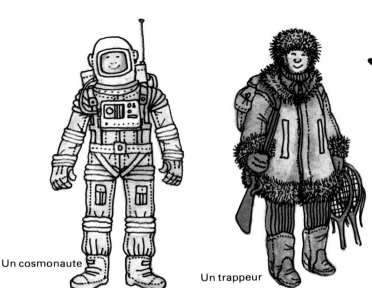

Un cosmonaute

Un trappeur

Ci-dessus : ces costumes protègent les gens qui les portent. Dans certains métiers, il faut porter des habits et des casques protecteurs.

174

Qu'est-ce qu'un uniforme?

Les membres d'un groupe portent souvent un uniforme. Cet uniforme leur permet de se reconnaître entre eux. Il montre aussi à quel groupe ces gens appartiennent. Sauriez-vous reconnaître un pompier ou un agent de police s'il ne portait pas d'uniforme? Les uniformes étaient conçus pour protéger ceux qui le portaient. Ensuite, on a ajouté sur l'uniforme des éléments décoratifs.

Une infirmière

Un soldat

Un cuisinier

Différents uniformes de police

Les moyens de transport

Quand le chemin de fer est-il apparu?

L'inventeur de la machine à vapeur, Denis Papin, fit d'abord fonctionner en 1707 un bateau à vapeur. Puis vint le premier essai de voiture à vapeur dû à l'ingénieur français Cugnot en 1770. C'est un Américain, Oliver Evans, qui conçut la première machine à vapeur roulant sur rails en 1804. Enfin, en 1827, l'invention par le Français Marc Seguin de la chaudière tubulaire perfectionnée par l'Anglais Stephenson marque l'origine de la locomotive à vapeur.

En France, la première ligne de chemin de fer fut ouverte en 1827 sur environ 18 km entre St-Étienne et Andrézieux sur la Loire.

Pendant plus de cent ans, les locomotives ont fonctionné à la vapeur. Maintenant, dans la plupart des pays du monde, elles sont équipées de puissants moteurs diesel ou électriques.

Quand a-t-on lancé le premier ballon?

Aujourd'hui, on voyage en montgolfière pour le plaisir. Chaque année, on organise de grandes courses, et de nouveaux records sont établis.

Les premiers ballons furent lancés par deux Français, les frères Montgolfier, en 1783. Ils utilisaient le principe suivant : l'air chaud s'élève. Donc un ballon rempli d'air chaud doit aussi s'élever. En accrochant une nacelle au ballon, on pouvait faire voler des hommes.

Planeur

Ballon

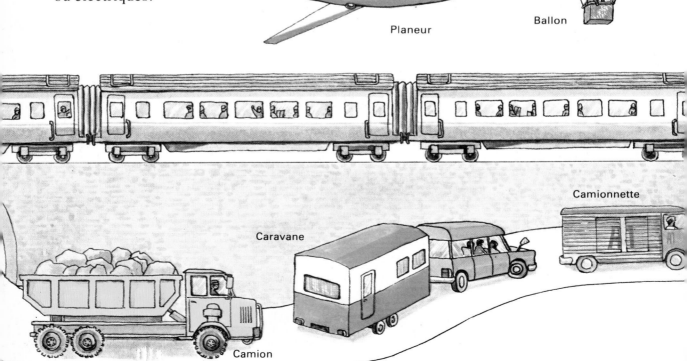

Caravane

Camionnette

Camion

176

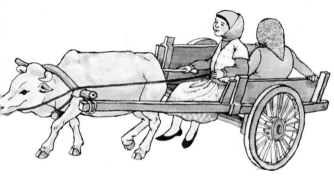

Autrefois, on se déplaçait surtout en chars à bœufs. Ce moyen de transport est encore utilisé dans de nombreux pays.

saient pas la vitesse de 30 kilomètres à l'heure. Aujourd'hui, les avions à réaction comme le Concorde peuvent voler à 2 000 kilomètres à l'heure. Ils traversent l'Océan Atlantique en 3 heures. Il aurait fallu des chevaux de relais pendant dix jours pour couvrir autrefois la même distance.

A quelle vitesse pouvons-nous voyager?

Il y a encore 150 ans, le moyen de transport le plus rapide était le cheval. A partir de 1830, les hommes purent voyager en chemin de fer. On installa des voies ferrées dans le monde entier. Mais les premiers trains ne dépas-

Quel est l'avion le plus rapide?

Les avions à réaction ne sont pas aussi rapides que les fusées. Lorsqu'un cosmonaute part dans l'espace, son appareil vole à la vitesse de 11 kilomètres à la seconde — plus de 40 000 kilomètres à l'heure. Si le Concorde volait à cette vitesse, il atterrirait à New York moins de 10 minutes après avoir quitté Paris.

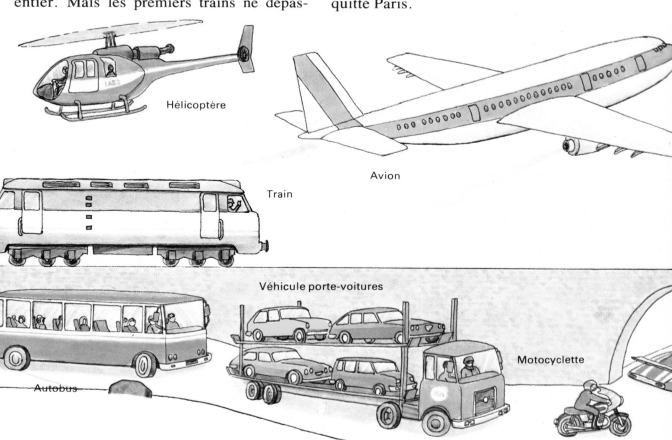

Hélicoptère

Avion

Train

Véhicule porte-voitures

Autobus

Motocyclette

Où les hommes vivent-ils?

Des Arabes

Dromadaires

L'homme peut-il vivre n'importe où?

Les animaux représentés ici sont adaptés à un certain climat. Les otaries et les phoques vivent dans les pays froids, au bord de la mer. Les dromadaires, par contre, habitent des pays chauds et secs. Ils se nourrissent de plantes qui y poussent. Si on envoyait un dromadaire sur la banquise, il mourrait tout de suite. Mais l'homme peut s'*adapter* aux différents climats.

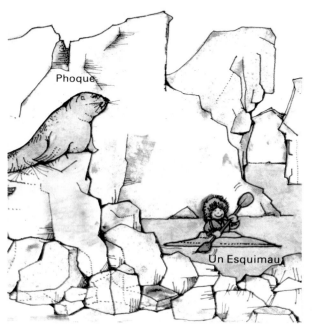

Phoque

Un Esquimau

De quoi l'homme a-t-il besoin?

L'homme a besoin d'eau et de nourriture pour vivre. On trouve de l'eau et de la nourriture dans presque tous les endroits du globe.

Si vous partiez seul dans le désert, vous ne pourriez pas survivre longtemps. Mais les habitants de ces pays sont adaptés au désert. Ils savent comment trouver de l'eau et où nourrir leurs troupeaux.

Les Esquimaux d'Alaska sont eux aussi adaptés à leur climat. Ils portent d'épaisses fourrures pour se protéger du froid. Ils savent comment pêcher l'otarie et le poisson dont ils se nourrissent.

Y a-t-il des endroits où l'homme ne pourrait pas survivre?

L'homme aurait du mal à survivre longtemps aux pôles sans équipements spéciaux. Certaines équipes de chercheurs parviennent à y demeurer quelques mois. Ils transportent leur nourriture et s'installent dans des bases.

L'homme ne pourrait pas vivre non plus au sommet des plus hautes montagnes. Il y fait trop froid et l'air y manque.

A droite : lorsqu'on habite dans les régions montagneuses, il faut monter et descendre des pentes raides. Les toits sont en pente pour que la neige ne s'y accroche pas. Des pierres maintiennent les tuiles en place.

Comment l'homme apprend-il à s'adapter dans un nouveau pays?

L'homme a parfois du mal à s'adapter à un nouveau pays. Si l'on quitte la France pour aller vivre en Afrique ou en Asie, il faut s'adapter à beaucoup de choses nouvelles : le climat et la nourriture sont différents. Les coutumes changent aussi. Mais s'il le désire, l'homme peut apprendre à vivre partout.

Pourquoi les gens changent-ils de région ou de pays?

Les gens quittent leur région parce qu'ils le désirent, ou parce qu'ils y sont obligés. On peut changer de pays pour des raisons de travail. On peut émigrer à cause d'une guerre. On peut aussi choisir d'aller vivre ailleurs par curiosité. Les premiers colons d'Amérique ou d'Afrique avaient le goût de l'aventure. Ils espéraient aussi s'enrichir.

Hippopotame

179

Des nomades

Toutes sortes de maisons

Comment vivent les nomades?

Nous habitons généralement dans des maisons ou des appartements. Nous restons au même endroit jusqu'à ce que nous ayions décidé de déménager.

Mais dans certaines parties du monde, les hommes bougent sans cesse. Ce sont des *nomades*. Ils guident leurs troupeaux vers de nouveaux pâturages. En saison sèche, ils avancent d'un puits à un autre. Les nomades habitent sous des tentes. Chaque fois qu'ils s'installent quelque part, ils plantent leur tente. Quand ils s'en vont, ils l'emportent avec eux. Les nomades possèdent peu de choses. Ils doivent pouvoir transporter tous leurs biens chaque fois qu'ils se déplacent.

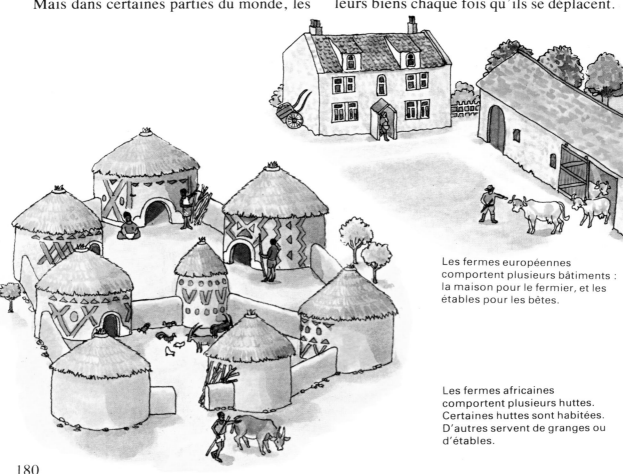

Les fermes européennes comportent plusieurs bâtiments : la maison pour le fermier, et les étables pour les bêtes.

Les fermes africaines comportent plusieurs huttes. Certaines huttes sont habitées. D'autres servent de granges ou d'étables.

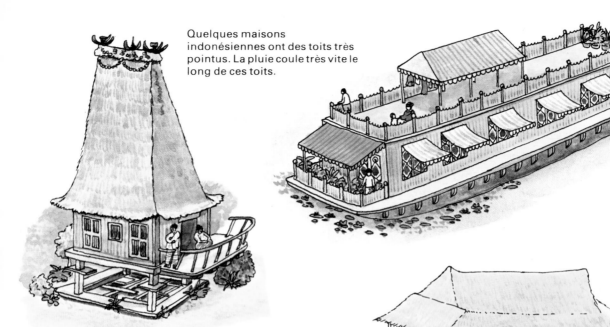

Quelques maisons indonésiennes ont des toits très pointus. La pluie coule très vite le long de ces toits.

Qu'est-ce qu'une claie? Et le torchis?

Beaucoup de tribus habitent des huttes construites avec des *claies* et du *torchis*. La claie se place à l'intérieur du mur. C'est un entrelacement de branches ou de joncs, qui sert de soutien au torchis. Le torchis est un mélange de terre et de paille hachée. On le pose sur la claie. Une fois qu'il est sec, le torchis devient imperméable à l'eau et au vent. Les paysans de nos campagnes vécurent dans ce genre de maison pendant des siècles.

Dans les régions humides, on construit des maisons sur pilotis.

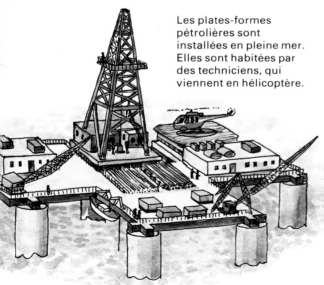

Les plates-formes pétrolières sont installées en pleine mer. Elles sont habitées par des techniciens, qui viennent en hélicoptère.

Peut-on habiter un bateau?

Beaucoup de gens habitent sur des bateaux. Dans nos pays, les mariniers vivent sur leur péniche. D'autres personnes habitent des maisons flottantes, ancrées sur un fleuve. Ils ont l'eau courante, le chauffage et l'électricité comme à terre, parce qu'ils sont reliés au quai. S'ils le souhaitent, ils peuvent larguer les amarres et voyager avec leur maison.

Les grands bateaux de commerce ou de guerre sont bien aménagés. L'équipage dispose de chambres, de salles à manger, de salons. Les bateaux de croisière comportent même parfois des piscines et une salle de cinéma.

181

Les chalets suisses sont généralement construits en bois. En hiver, la neige recouvre le toit. Elle empêche l'air froid de rentrer dans la maison.

Quelles sont les maisons les plus grandes?

Les châteaux et les palais sont d'immenses maisons. Ils ont été construits par des rois ou des seigneurs. Le château le plus célèbre du monde est celui de Versailles. Il fut bâti au 17e siècle pour le roi Louis XIV. Versailles pouvait abriter 10 000 personnes.

Les rois et les seigneurs ne vivaient pas seuls dans les châteaux. Ils étaient entourés de leurs serviteurs et des courtisans.

Comment peut-on chauffer une maison?

On peut chauffer les maisons avec des poêles à bois ou à charbon, avec des feux allumés dans les cheminées, avec des radiateurs à gaz ou électriques.

Mais autrefois, dans les fermes, les hommes se chauffaient grâce à leurs bêtes. La porte entre la chambre et l'étable restait toujours ouverte. La chaleur produite par les vaches ou les chevaux réchauffait les hommes.

Ces maisons hollandaises se dressent au bord d'un canal à Amsterdam.

Lorsque les Esquimaux partent pêcher, ils restent plusieurs jours absents. Pendant la nuit, ils s'abritent dans des igloos. Un igloo protège très bien du froid. Il ne fond pas, même si on allume un feu à l'intérieur.

Les habitants des villes vivent souvent dans des immeubles. Chaque immeuble contient plusieurs appartements, sur différents étages. En banlieue et à la campagne, les gens vivent généralement dans des maisons individuelles.

Ci-dessus : en Afrique du Nord, les maisons ont des murs épais qui protègent de la chaleur.

Cette cabane canadienne est entièrement faite de bois. Seule la cheminée est en pierre. Dans les régions de forêts, les maisons sont le plus souvent construites en bois.

Les Indiens d'Amérique vivaient dans des tipis. Ces tentes étaient faites de peaux de buffles cousues. Les Indiens étaient des nomades. Ils emportaient leur tente quand ils changeaient de campement.

Les Bohémiens vivent dans des caravanes, qui, aujourd'hui sont motorisées. Autrefois elles étaient tirées par un cheval.

Les drapeaux

Le drapeau américain

Quelle est l'histoire du drapeau américain?

L'Amérique s'est libérée des Anglais en 1776. Après la guerre d'Indépendance, 13 états s'unirent sous le drapeau américain. Ce drapeau comportait alors 13 étoiles et 13 bandes horizontales.

Peu à peu, d'autres états indépendants se joignirent à l'Union. Chaque fois qu'un nouvel état se ralliait, on ajoutait une étoile au drapeau. Le nombre de bandes, par contre, restait toujours le même. Il y a maintenant 50 étoiles sur le drapeau américain. Les deux dernières étoiles représentent les états d'Alaska et d'Hawaï. Ils ne se sont joints aux États-Unis d'Amérique qu'en 1959.

Que signifient les drapeaux?

Chaque pays choisit son drapeau. Le drapeau peut changer selon les événements : à la suite de transformations politiques, ou lorsqu'un pays devient indépendant.

Le drapeau français tel que nous le connaissons a été dessiné au moment de la révolution française. C'était le symbole de la République.

Le drapeau anglais s'est transformé au cours des siècles. En 1603, l'Angleterre et l'Écosse eurent pour la première fois le même roi. Ce roi décida que le drapeau devait porter la croix de Saint-Georges, symbole de l'Angleterre et la croix de Saint-André, symbole de l'Écosse. En 1801, l'Irlande rejoignit l'Écosse et l'Angleterre. On ajouta au drapeau la croix de Saint-Patrick. C'est pour cette raison que le drapeau anglais porte trois croix.

Les bateaux doivent aussi porter un drapeau. Ils portent celui de leur pays d'origine, et battent le pavillon du pays où ils passent.

Le drapeau britannique

Croix de St-Georges

Croix de St-André

Croix de St-Patrick

184

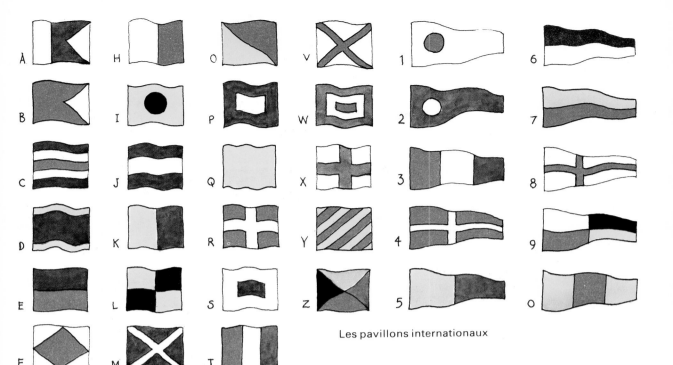

Les pavillons internationaux

Le drapeau des Nations Unies

Quels sont les drapeaux internationaux?

Certains drapeaux sont utilisés par les marins. Ils signifient la même chose dans tous les pays du monde, parce qu'ils correspondent à un code. Certains drapeaux symbolisent une lettre, d'autres un mot bien précis.

Les drapeaux qui symbolisent une lettre peuvent aussi signifier autre chose lorsqu'ils sont lancés tout seuls. Le drapeau bleu et blanc symbolise le P. Mais il peut aussi signifier que le bateau va appareiller. La lettre V signale que le bateau a besoin de secours. Le drapeau rayé du G demande l'aide d'un pilote pour accéder au port. En période de guerre, les drapeaux sont très utiles. Contrairement au signal radio, ils ne peuvent être captés par des sous-marins ennemis.

Certains drapeaux servent d'emblème à des organisations internationales; c'est le cas du drapeau des Jeux Olympiques. Les cinq anneaux entrelacés symbolisent les cinq continents unis dans le sport et l'amitié.

Le drapeau des Nations Unies représente la carte du monde sur un fond bleu. Elle est entourée d'une couronne de lauriers qui symbolise la paix.

Le drapeau blanc signifie la même chose dans tous les pays du monde. Il indique que l'on veut parlementer.

Certains drapeaux symbolisent des partis politiques ou les couleurs d'un club sportif.

Le drapeau des Jeux Olympiques

185

Grands bateaux et petits navires

Quels sont les plus grands bateaux?

Avant 1960, on traversait l'Atlantique en bateau. Les avions à réaction n'existaient pas encore et de grands transatlantiques assuraient le transport des passagers.

Le *France* et le *Queen Elizabeth* sont deux bateaux très célèbres. Ils jaugeaient 70 000 tonnes et pouvaient transporter plus de 2 000 personnes. On trouvait à leur bord toutes sortes d'installations confortables : cinémas, piscine, salles de réception, salons de coiffure et salles de jeux.

Après 1960, les avions prirent la relève. Ils permettaient de gagner beaucoup de temps. Les grands transatlantiques disparurent peu à peu.

Aujourd'hui, les plus grands des bateaux sont des pétroliers. Les plus importants d'entre eux jaugent 500 000 tonnes.

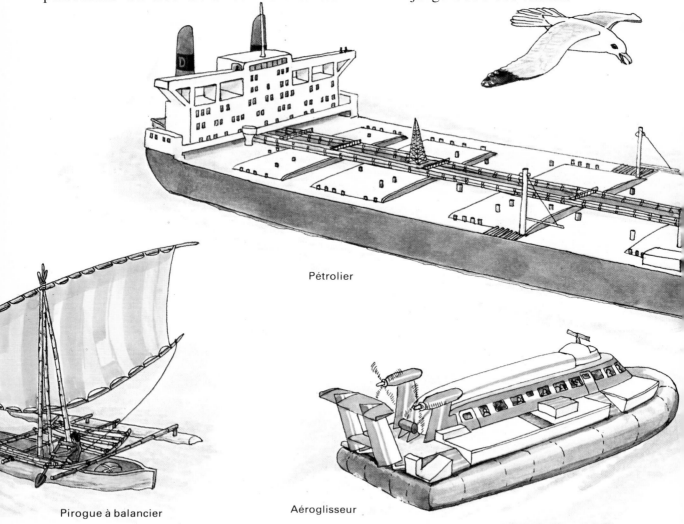

Pétrolier

Pirogue à balancier

Aéroglisseur

Un bateau peut-il voler?

Certains bateaux peuvent glisser à la surface de l'eau comme s'ils volaient. Ce sont les aéroglisseurs. Ces bateaux se déplacent sur le coussin d'air qu'ils entretiennent sous leur coque. Ils peuvent ainsi avancer sans toucher l'eau ni le sol, si celui-ci ne présente pas d'accident brusque.

Le premier aéroglisseur fut lancé en 1959. Aujourd'hui, un trafic important de ces bateaux dessert les villes côtières de France et de Grande-Bretagne. Un aéroglisseur traverse la Manche en une demi-heure.

Ces bateaux sont très utiles, puisqu'ils peuvent avancer sur le sable. On se sert des aéroglisseurs pour secourir des soldats. Pendant les guerres, ils échappent aux radars ennemis : on n'entend pas leur moteur et on ne peut pas les détecter avec des instruments sous-marins.

Phare

Quelle est l'histoire de la Marie-Céleste?

En 1872, on découvrit que le navire *Marie-Céleste* dérivait entre le Portugal et les Açores. Les voiles battaient et il n'y avait plus personne à bord. Les canots de sauvetage avaient disparu, ainsi que certains instruments de navigation.

On n'a jamais retrouvé trace de l'équipage.

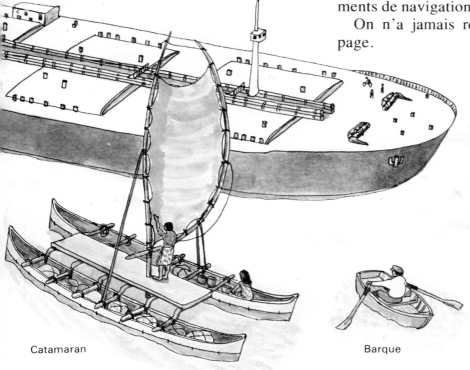

Catamaran

Barque

Qu'est-ce qu'une jonque?

Les jonques sont des bateaux construits en Chine ou en Asie du Sud-Est. Ils portent des voiles carrées, soutenues par des lattes de bois. A Hong Kong, les jonques servent d'habitation et de lieu de travail. Plusieurs familles y vivent parfois ensemble.

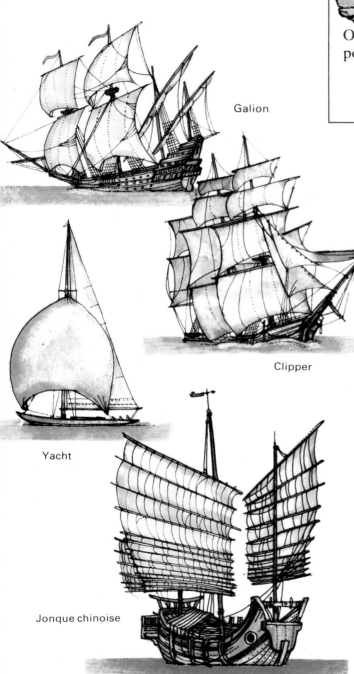

Galion

Clipper

Yacht

Jonque chinoise

Comment fabrique-t-on une pirogue?

Il faut d'abord trouver un tronc et y creuser un trou.

On brûle ensuite le trou pour l'agrandir.

A quoi servent les différents types de bateaux?

Les cargos et les pétroliers servent à transporter des marchandises. Les chalutiers sont construits pour la pêche. D'énormes bateaux-usines partent en mer pendant plusieurs mois. Tout le poisson pêché est immédiatement congelé ou mis en conserve à bord. Les remorqueurs ont des moteurs très puissants. Ils tirent les bateaux vers le port. Les brise-glaces sont construits pour casser les icebergs. Ils peuvent dégager la mer et les ports des pays froids. Les voiliers sont des bateaux de plaisance.

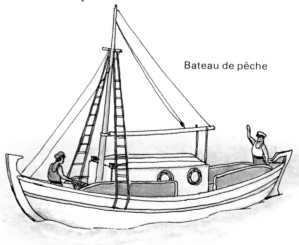

Bateau de pêche

188

Enfin, on taille les bouts du tronc. On installe un siège dans le trou.

Qu'est-ce qu'un trirème?

Les Romains construisaient des vaisseaux de guerre propulsés à la rame et à la voile. Les plus grands de ces vaisseaux comportaient trois rangées de rameurs, assis les uns au-dessus des autres sur chaque flanc du navire. On appelait ces bateaux des trirèmes (tri signifie trois). Les vaisseaux qui ne comptaient que deux rangées de rameurs se nommaient des birèmes (bi signifie deux).

Ces bateaux portaient à la proue une sorte d'éperon, qui pouvait percer la coque d'un vaisseau ennemi et, parfois, une figure peinte destinée à effrayer l'adversaire.

Quelle fut la grande époque des voiliers?

On a construit des bateaux à voile pendant des milliers d'années. Les Égyptiens, les Grecs et les Romains voyageaient dans des galères, propulsées par des voiles et des rameurs.

Par la suite, on fabriqua des bateaux qui n'utilisaient que la voile. Ces navires étaient de plus en plus grands. Il leur fallut de plus en plus de voiles. C'est dans une de ces caravelles que Christophe Colomb partit pour les Indes et découvrit par hasard l'Amérique.

Les grands voiliers du XIXe siècle couvraient de longues distances. Ils transportaient des marchandises d'un continent à un autre. C'était alors le moyen de transport le plus rapide. Mais il arrivait que ces bateaux soient pris dans des tempêtes et fassent naufrage avec toute leur cargaison. L'équipage devait être nombreux et bien entraîné aux manœuvres. Les marins de cette époque ne savaient pas toujours nager.

Jusqu'au siècle dernier, la marine de guerre se servait encore de bateaux à voiles. Ces bateaux étaient armés de canons. Ils étaient très lourds et difficiles à manœuvrer.

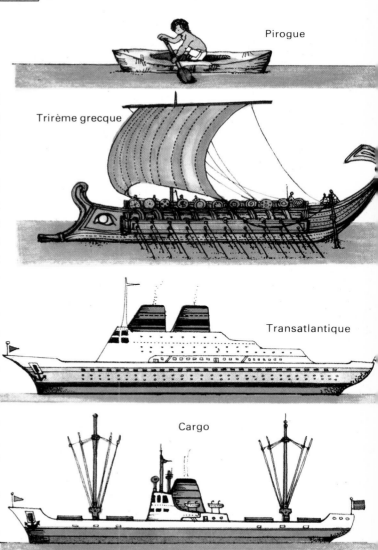

Pirogue

Trirème grecque

Transatlantique

Cargo

Dans un bateau

Comment vit-on dans un bateau?

De nombreux bateaux transportent en même temps une cargaison et des passagers, comme le bateau dessiné ici.

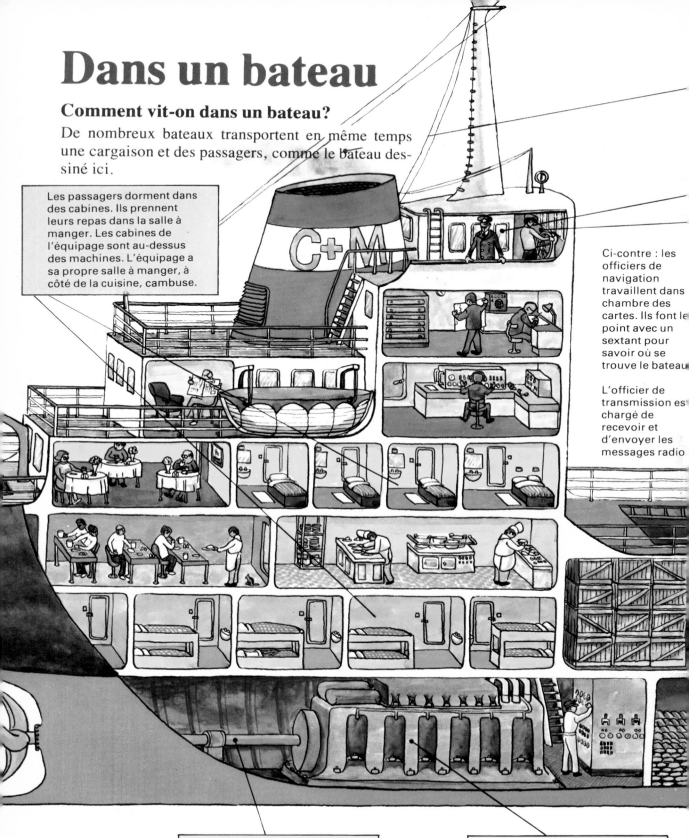

Les passagers dorment dans des cabines. Ils prennent leurs repas dans la salle à manger. Les cabines de l'équipage sont au-dessus des machines. L'équipage a sa propre salle à manger, à côté de la cuisine, cambuse.

Ci-contre : les officiers de navigation travaillent dans chambre des cartes. Ils font le point avec un sextant pour savoir où se trouve le bateau

L'officier de transmission est chargé de recevoir et d'envoyer les messages radio

Cette longue tige qui fait tourner l'hélice s'appelle l'arbre de l'hélice. L'hélice tourne dans la mer et pousse le bateau en avant. Un grand bateau possède généralement deux hélices et deux moteurs.

Le moteur fait tourner l'arbre. La plupart des bateaux marchent actuellement au mazout et possèdent des turbines. Beaucoup ont des moteurs diesel comparables à ceux des gros camions. Les moteurs doivent être très résistants.

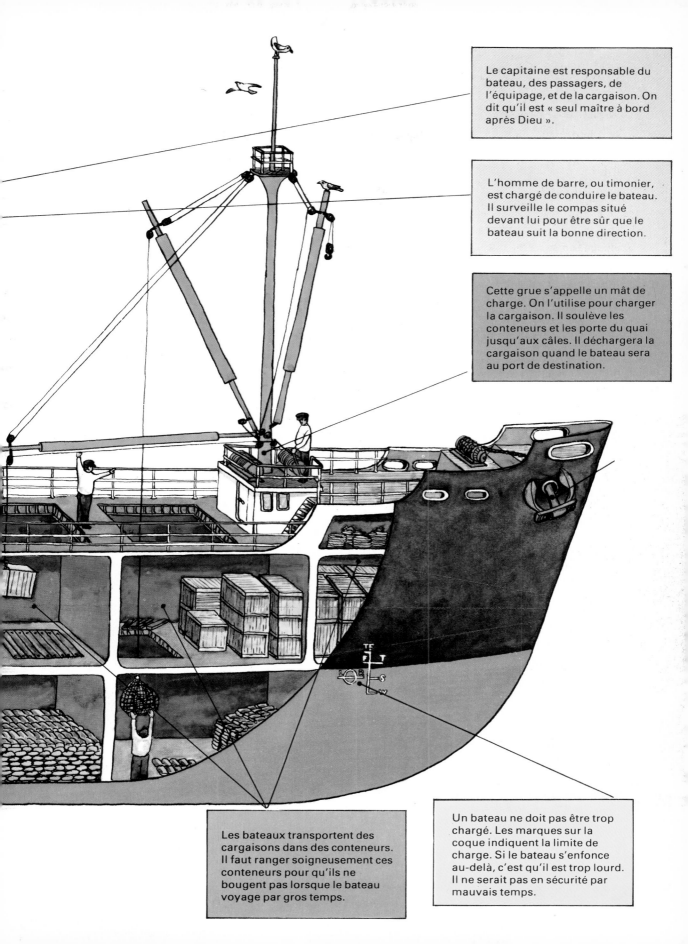

Le capitaine est responsable du bateau, des passagers, de l'équipage, et de la cargaison. On dit qu'il est « seul maître à bord après Dieu ».

L'homme de barre, ou timonier, est chargé de conduire le bateau. Il surveille le compas situé devant lui pour être sûr que le bateau suit la bonne direction.

Cette grue s'appelle un mât de charge. On l'utilise pour charger la cargaison. Il soulève les conteneurs et les porte du quai jusqu'aux câles. Il déchargera la cargaison quand le bateau sera au port de destination.

Les bateaux transportent des cargaisons dans des conteneurs. Il faut ranger soigneusement ces conteneurs pour qu'ils ne bougent pas lorsque le bateau voyage par gros temps.

Un bateau ne doit pas être trop chargé. Les marques sur la coque indiquent la limite de charge. Si le bateau s'enfonce au-delà, c'est qu'il est trop lourd. Il ne serait pas en sécurité par mauvais temps.

Des aliments variés

Quelles sortes d'aliments trouve-t-on?
Lesquels pouvons-nous manger?

On peut distinguer trois grands groupes d'aliments. Ils sont tous indispensables, parce qu'ils apportent des produits différents à notre organisme. Nous devons consommer des aliments variés, pour demeurer en bonne santé.

Les fruits et les légumes appartiennent au même groupe d'aliments. On peut les consommer crus ou cuits. Ils sont riches en *vitamines* et contiennent parfois du fer. Le lait et tout ce qui provient du lait, comme le beurre, la crème, les fromages et les yogourths, appartiennent à un autre groupe. Ils contiennent des vitamines, des *protéines*, du calcium et des graisses. Le riz, le blé, le maïs sont des céréales. Les céréales sont la nourriture de base de beaucoup de gens. On peut faire de la farine avec les céréales. Le pain, les gâteaux et les biscuits sont faits à base de céréales et de beurre.

La viande et les œufs contiennent des protéines. Le poisson est riche en phosphore.

Lait

Fromage

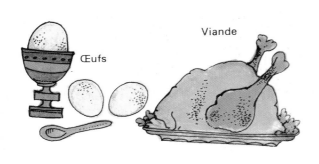

Œufs

Viande

Yogourt

Beurre

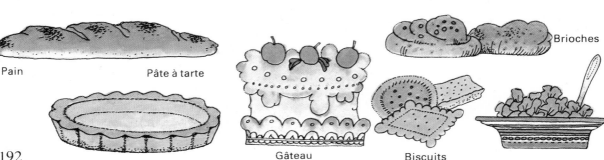

Pain

Pâte à tarte

Gâteau

Biscuits

Brioches

Céréales

192

Soupe

Salade

Confiture

Tarte

Légumes

Salade de fruits

Tous les hommes mangent-ils trois fois par jour?

Les habitants de pays riches font générale-ment trois repas par jour. Le petit-déjeuner, le déjeuner et le dîner. Les enfants mangent souvent un goûter en plus. Dans les pays moins riches, on ne fait qu'un ou deux repas.

Selon les médecins, il vaut mieux manger peu. Les aliments les meilleurs sont les légu-mes et les fruits crus. Il ne faut pas abuser de nourritures sucrées. Le petit-déjeuner est le repas le plus important de la journée. Par contre, le dîner doit être léger. Il ne faut pas avoir l'estomac lourd au moment de se cou-cher. Chez nous, les repas sont généralement constitués d'une entrée, d'un plat de viande et de légumes, de fromages et d'un dessert.

Les hommes mangent-ils tous la même chose?

La nourriture varie d'un pays à un autre. Chaque région d'un même pays peut aussi avoir des spécialités. Les crêpes, par exem-ple, sont typiques de la nourriture bretonne. Les pizzas et les pâtes, comme les spaghettis ou les macaronis, sont à la base de la cuisine italienne; mais on en mange maintenant dans le monde entier. Les Chinois se nourrissent principalement de riz. Les Indiens assaison-nent leur cuisine d'épices fortes et parfu-mées. Chaque pays a sa nourriture nationale.

Pourriez-vous manger de tout?

On mange des escargots depuis des siècles en France. Les Romains aussi en consommaient. Les cuisses de grenouilles sont réputées pour être un plat délicat. Mais certaines personnes sont dégoûtées à l'idée d'en manger. Dans certains pays, on se nourrit de serpent, et de sauterelles grillées.

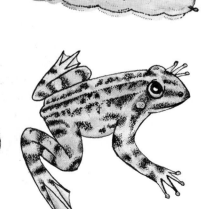

Escargots

Poulpe

Serpent

Grenouille

193

Les travaux agricoles

Quelles machines utilise-t-on dans une ferme?

Les fermes des pays riches possèdent maintenant toutes sortes de machines pour aider aux travaux agricoles. Ces machines permettent de travailler plus vite et plus précisément. Le *tracteur* a remplacé le cheval de trait. La *moissonneuse-batteuse* cueille les épis dans les champs et sépare les grains. La *lieuse* lie les gerbes.

La machine la plus utile est sans aucun doute le tracteur. Les tracteurs possèdent un moteur très résistant. Ils peuvent rouler sur des pentes raides comme sur le plat. Les tracteurs sont destinés à tirer des outils, comme les charrues, les semeuses, ou des remorques. Autrefois, tous ces travaux se faisaient à l'aide de bœufs ou de chevaux.

De nombreuses fermes sont maintenant équipées de *trayeuses* électriques. Les vaches sont traites matin et soir à l'aide de ces appareils. C'est un précieux gain de temps et de fatigue. La trayeuse électrique assure aussi une parfaite propreté du lait.

Les éleveurs de moutons se servent aujourd'hui de *tondeuses* électriques pour tondre la laine. Autrefois, on coupait la laine aux ciseaux.

Toutes ces machines sont indispensables aux agriculteurs. Autrefois, beaucoup de gens travaillaient dans les champs. On ne manquait pas de main d'œuvre. Aujourd'hui, la majorité des hommes travaillent dans les villes. Les agriculteurs ne sont plus assez nombreux. S'ils ne possédaient pas toutes ces machines, ils ne produiraient pas assez de nourriture pour faire vivre le pays et ne gagneraient pas assez d'argent.

194

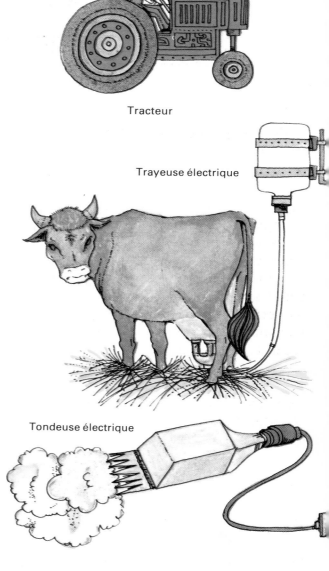

Tracteur

Trayeuse électrique

Tondeuse électrique

Moissonneuse batteuse

Les machines agricoles coûtent-elles cher?

Les machines agricoles coûtent très cher. Il faut d'abord les payer, puis les entretenir et les alimenter en carburant.

Avant d'acheter une machine, l'agriculteur doit savoir si elle sera vraiment utile. Certains agriculteurs ne peuvent pas acheter des machines aussi chères. Ils forment alors des *coopératives*, c'est-à-dire des groupements. La coopérative achète la machine et les agriculteurs peuvent l'utiliser à tour de rôle. On peut aussi louer les machines agricoles en période de moisson ou de labour.

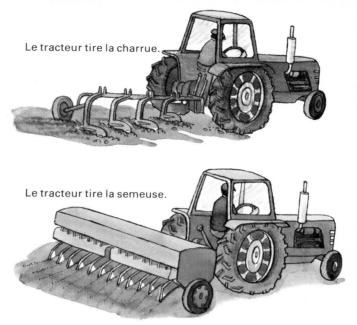

Le tracteur tire la charrue.

Le tracteur tire la semeuse.

Quels autres travaux ces machines peuvent-elles accomplir?

Les machines agricoles peuvent faire presque tous les travaux. Il existe des machines pour peser, d'autres pour nourrir ou mesurer le bétail. Il existe aussi des arroseuses automatiques, des sulfateuses. On a même inventé des machines pour récolter le raisin. Les vendanges se font de plus en plus souvent avec des engins qui fonctionnent jour et nuit pour gagner du temps.

Quelles sont les machines qu'on utilise toute l'année?

Les dessins de cette page montrent les différents travaux qu'accomplit un tracteur pendant l'année. Il peut labourer la terre en tirant une charrue. Il peut ensuite tracter une semeuse pour semer le grain. Au moment des moissons, le tracteur emporte les gerbes liées sur une remorque.

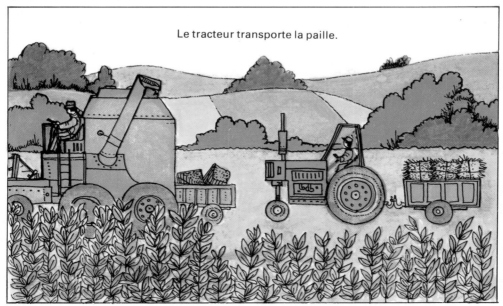

Le tracteur transporte la paille.

Les différents métiers

Quels sont les différents métiers?

Il existe des milliers de métiers différents. Certains s'apprennent facilement. D'autres exigent beaucoup de connaissances et des années d'études. Certains métiers ne se pratiquent que dans des villes. D'autres encore se font à la campagne. On peut exercer un métier solitaire, ou bien travailler en groupe.

La plupart des gens qui travaillent reçoivent un salaire. Mais on peut aussi travailler bénévolement, c'est-à-dire gratuitement, pour aider d'autres gens. Les mères de famille qui s'occupent de leur maison et de leurs enfants ne sont pas payées. Elles ne reçoivent pas de salaire. Pourtant, elles travaillent toute la journée et même le soir.

Le cuisinier et le serveur travaillent tous deux dans un restaurant. Le cuisinier prépare les plats et les sauces. Le serveur prend les commandes, puis apporte les plats aux clients. Il y a généralement plusieurs serveurs dans un restaurant. Le cuisinier est aidé par des marmitons.

Pourquoi les gens travaillent-ils?

Les gens travaillent pour gagner leur vie. Avec un salaire, ils peuvent se loger, s'habiller et nourrir leur famille. Mais les hommes travaillent aussi pour s'occuper. Le travail leur permet de rencontrer d'autres gens.

Qui travaille?

Chez nous, tous les adultes peuvent travailler. Dans de nombreux pays, les enfants ne sont pas autorisés à travailler pour gagner de l'argent. Dans quelques pays, les femmes n'ont pas le droit de pratiquer certains métiers.

196

Ci-dessous : un gondolier de Venise promène des touristes le long des canaux.

Tous les métiers sont-ils difficiles?

Certains métiers demandent beaucoup d'expérience et d'apprentissage. Les médecins et les architectes doivent faire de longues études avant de pouvoir pratiquer leur métier. Il faut aussi du temps pour acquérir certains *tours de mains*, en cuisine par exemple. Les danseurs, eux, apprennent la danse dès l'âge de sept ans. Tous les sportifs professionnels s'entraînent très jeunes.

Quels sont les travaux faciles à apprendre?

Certains travaux sont plus faciles que d'autres. Ils ne demandent pas une expérience précise. Mais les travaux faciles sont souvent ennuyeux et répétitifs. Les gens qui font toujours la même chose n'aiment pas beaucoup leur travail. Ils préféreraient sans doute avoir un métier un peu plus difficile et plus intéressant.

A gauche : cet homme recueille le caoutchouc en Malaisie.

A droite : les danseuses doivent s'entraîner pendant de longues années.

197

L'artisanat

Pourquoi l'artisanat est-il différent selon les pays?

Tous les pays du monde sont différents. Les hommes y ont des coutumes, des ressources différentes. L'artisanat fait partie de l'histoire et des habitudes d'un pays. Chaque région peut aussi avoir ses propres *traditions*. Les traditions dépendent souvent de ce que l'on trouve sur place : en Lorraine, où il y a du sable, on fabrique du verre et du cristal. A Limoges, on trouve de la porcelaine. Le Jura est célèbre pour ses pipes.

A droite : cette poupée de bois a été fabriquée en Russie. Quand on dévisse la poupée, elle s'ouvre. A l'intérieur, on trouve une poupée plus petite. Cette autre poupée s'ouvre aussi et contient une poupée encore plus petite. Certaines poupées russes contiennent 8 ou 10 petites poupées.

Qui fabrique les objets traditionnels?

Les métiers traditionnels se pratiquent souvent de père en fils. Mais ceux qui désirent les apprendre peuvent le faire dans des écoles d'artisanat où les anciennes techniques sont maintenues et enseignées.

Qui achète les objets artisanaux?

Les objets traditionnels sont souvent utilitaires. Dans les pays méditerranéens et en Asie, on fabrique beaucoup de terres cuites, qui servent toujours.

Certains objets ne sont plus fabriqués que pour les touristes. Ces objets sont le symbole d'un pays.

Comment fabrique-t-on ces objets?

Chaque artisan possède ses propres secrets. Ils peuvent être différents de ceux du voisin.

La femme représentée ci-contre est en train de tisser. Elle fabrique une couverture de laine. Les dessins qu'elle reproduit sont toujours les mêmes depuis des siècles. Ils ont une signification bien précise. Les outils que cette femme utilise pour tisser sont les mêmes qu'autrefois. Le tissage à la main demande beaucoup de temps.

Cette femme est une Péruvienne. Elle est en train de tisser un tapis à la main selon un artisanat pratiqué au Pérou depuis des siècles.

Les maîtres-verriers soufflent le verre et le cristal à la bouche. La pâte de verre sort du four et on peut lui donner une forme avant qu'elle ne refroidisse.

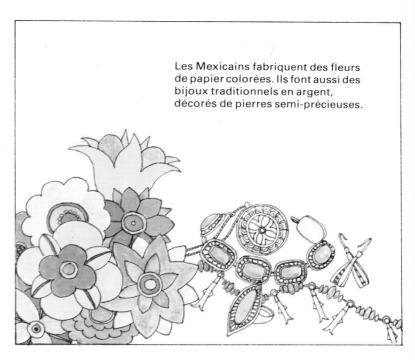

Les Mexicains fabriquent des fleurs de papier colorées. Ils font aussi des bijoux traditionnels en argent, décorés de pierres semi-précieuses.

Pourquoi apprécie-t-on l'artisanat?

Le travail artisanal est très différent du travail mécanique. Un objet fait à la main ne ressemble jamais parfaitement à un autre. Il porte la marque de l'artisan qui l'a fabriqué. Par contre, les objets fabriqués en usine sont tous semblables.

Y a-t-il de nouvelles traditions?

La tradition s'établit lorsqu'un groupe de gens a besoin d'un objet précis qui correspond à leur mode de vie. Ils fabriquent cet objet jusqu'à ce que leurs besoins changent. Les objets que nous faisons aujourd'hui deviendront peut-être traditionnels, si nous continuons à les fabriquer longtemps.

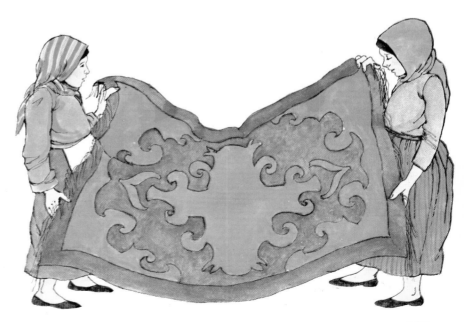

A droite : les tapis turcs sont célèbres pour leur beauté. On les fabrique sur de grands métiers à tisser. Ces tapis sont très colorés et de bonne qualité.

199

A l'usine

Qu'est-ce qu'une chaîne de montage?

On fabrique de nombreuses pièces sur les chaînes de montage. Un moteur de voiture, par exemple, se construit sur une chaîne. Il avance d'un ouvrier à un autre. Chaque ou-

Ci-dessus : le directeur d'une usine de jouets dicte des lettres à sa secrétaire.

Les ouvriers fabriquent les jouets. Chaque ouvrier a un travail précis.

Un ouvrier emporte les jouets terminés.

vrier est chargé d'un travail précis sur ce moteur. L'un serre les boulons, l'autre pose des vis.

Prenons l'exemple d'une usine automobile : le *châssis* de la voiture circule le long de la chaîne de montage. Peu à peu, chaque ouvrier ajoute une pièce supplémentaire : des boulons, les freins, les fils électriques. Lorsque la voiture atteint la fin de la chaîne, elle est complètement terminée.

La chaîne de montage fut inventée au début du siècle par Henry Ford. Elle permettait de fabriquer un grand nombre de voitures à bas prix.

Quel est le travail du directeur de l'usine?

Le directeur d'usine est responsable du fonctionnement de l'usine. Il doit vérifier les résultats et la qualité de ses produits. Il est responsable des ouvriers et de tout le personnel.

L'usine comporte plusieurs départements : la fabrication, les services administratifs et commerciaux, où l'on se charge de la vente des produits. Le service du personnel s'occupe des employés. Chaque département doit rendre des comptes au directeur.

Le personnel de bureau remplit les factures, répond au téléphone et rédige le courrier.

Les jouets sont empaquetés. Ce travail peut aussi se faire à la machine.

Que fait-on dans les services administratifs et commerciaux?

Le service administratif est chargé des comptes de l'usine. Il rédige les factures et les feuilles de salaire du personnel.

Le service commercial s'occupe de l'achat des matières premières nécessaires à la fabrication des produits.

Il est également chargé de la vente des produits de l'usine. Dans le service commercial, on trouve un département chargé de la publicité.

Dans les bureaux, on trouve des secrétaires qui répondent au téléphone et tapent les factures ou les commandes.

Les jouets sont chargés dans une camionnette. Ils vont être livrés dans les magasins qui les ont commandés. Certains seront stockés dans un entrepôt.

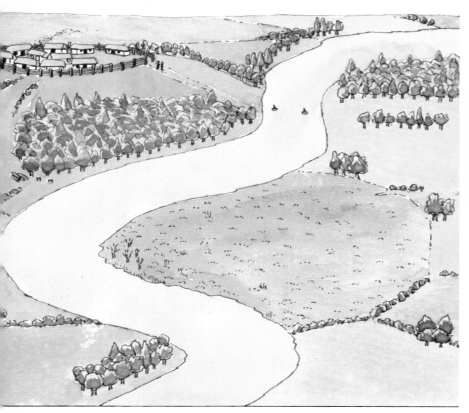

1

2

La naissance d'une ville

Comment une ville grandit-elle?

Un jour, des hommes ont commencé à s'installer près d'une rivière. Un village est né. La rivière offrait l'eau et le poisson. On s'en servait aussi comme moyen de transport (1).

Le temps a passé; le village était bien situé et de plus en plus de gens sont venus l'habiter. Ils ont construit un pont au-dessus de la rivière. Une famille plus riche que les autres a bâti une grande maison (2).

La famille riche a acheté du terrain. Un jour, elle a installé une usine. Des bateaux ont transporté ce qu'on fabriquait dans l'usine. Des gens de la campagne sont venus s'installer autour de l'usine pour y travailler (3).

Le chemin de fer est arrivé et la ville s'est encore agrandie. On a bâti plusieurs ponts et démoli la grande maison (4). Peu à peu, les vieilles maisons sont remplacées par des immeubles. Le village a disparu, la ville est née (5).

4

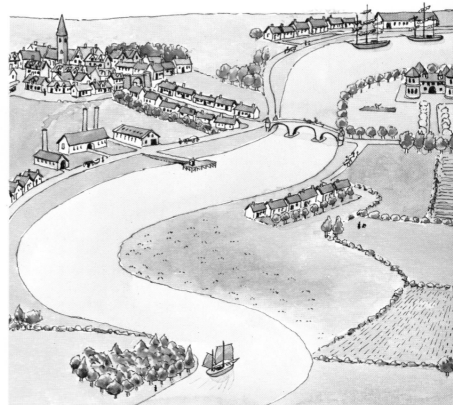

3

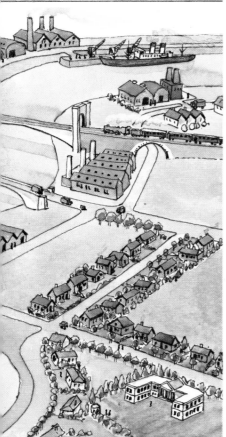

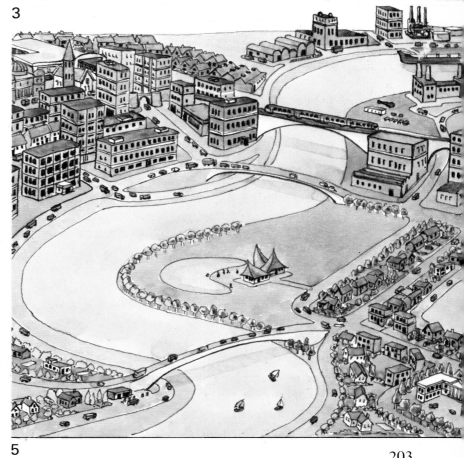

5

Comment vivre ensemble

Dans quels endroits peut-on vivre?

L'endroit où l'on vit dépend du métier que l'on fait. Un plombier doit habiter dans une ville ou un village pour trouver du travail. Un agriculteur doit habiter à la campagne. Par contre, un médecin ou un écrivain peuvent habiter soit à la ville, soit à la campagne. Autrefois, la plupart des gens cultivaient eux-mêmes leur terre. Toute la famille participait au travail.

Ensuite, les villes se sont étendues. Les moyens de transport sont devenus plus commodes. Beaucoup de gens partirent travailler dans les usines et dans les villes. Les machines remplacèrent les hommes. Certains villages furent même abandonnés.

A quoi ressemblaient les premiers villages?

Les premiers villages étaient généralement construits sur des collines. Ainsi, les habitants pouvaient surveiller la région. Au Moyen Age, il y avait souvent des guerres ou des invasions. Le village pouvait mieux se défendre s'il était en hauteur. Les premiers villages étaient fortifiés. Les maisons étaient installées en rond et protégées par des murailles.

Peu à peu, comme la paix s'établissait, on a construit des maisons au-delà des murailles. On a bâti des villages autour des rivières. La rivière fournissait l'eau et permettait aux gens de voyager par bateau.

Qu'est-ce qu'une société?

Une société est un groupe de gens qui vivent ensemble. Ils dépendent tous les uns des autres : certains s'occupent de fournir la nourriture. D'autres font les vêtements, les livres, les outils. Les dessins ci-dessous montrent deux types de société.

Dans l'île, le travail n'est pas vraiment réparti. Tous les hommes participent à la pêche, à la construction des canots et des huttes. Les femmes cuisinent et élèvent les enfants toutes ensemble.

Dans le bourg européen, le travail est partagé. Certaines personnes cultivent la terre. D'autres construisent les maisons, tiennent des commerces, ou travaillent à l'usine.

Pour vivre en société, les hommes ont besoin de lois. Si l'on n'avait pas de lois, on ne pourrait pas vivre ensemble. Quand on joue à un jeu, on accepte les règles. Et que se passe-t-il si quelqu'un triche?

Le corps humain

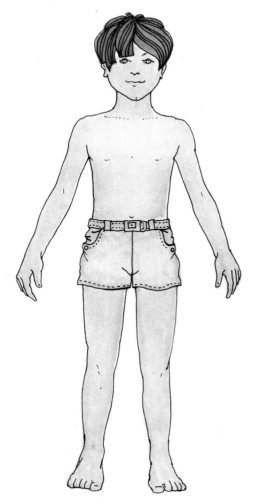

A quoi ressemble notre corps?

Notre corps ressemble un peu à une machine. Il est constitué de parties différentes. Mais toutes ces parties fonctionnent ensemble. Elles ont besoin les unes des autres. Comme une voiture, notre corps a besoin de carburant : la nourriture, l'eau et l'air sont les carburants du corps. Il faut aussi prendre soin de notre corps pour qu'il ne s'abîme pas.

A quoi sert le squelette?

Si nous n'avions pas de squelette, nous ne pourrions pas nous tenir debout. Nous ressemblerions à un tas tout mou. Il y a plus de 200 os dans le corps humain. Ces os sont reliés par des *articulations*. Ce sont les articulations qui permettent le mouvement.

Les os sont aussi chargés de protéger nos *organes*. La cage thoracique, par exemple, protège nos poumons comme le crâne protège notre cerveau.

Pourquoi respirons-nous?

Quand on court vite, ou que l'on grimpe un escalier quatre à quatre, on perd le souffle. On doit respirer plus vite et avaler davantage d'air. Nos *muscles* viennent de fournir un effort et ils ont absorbé tout l'oxygène du corps.

L'oxygène est invisible. C'est un gaz contenu dans l'air. Quand nous respirons, nos *poumons* se remplissent d'air. Ils conservent l'oxygène et l'envoient dans le sang. Ils rejettent l'azote qui était mélangé à l'oxygène.

Notre corps respire aussi par les pores de la peau. Les pores sont de petits trous qui laissent passer l'air.

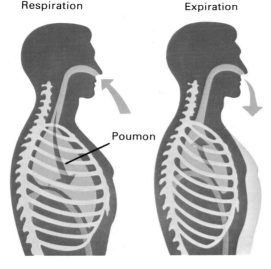

Respiration   Expiration

Poumon

206

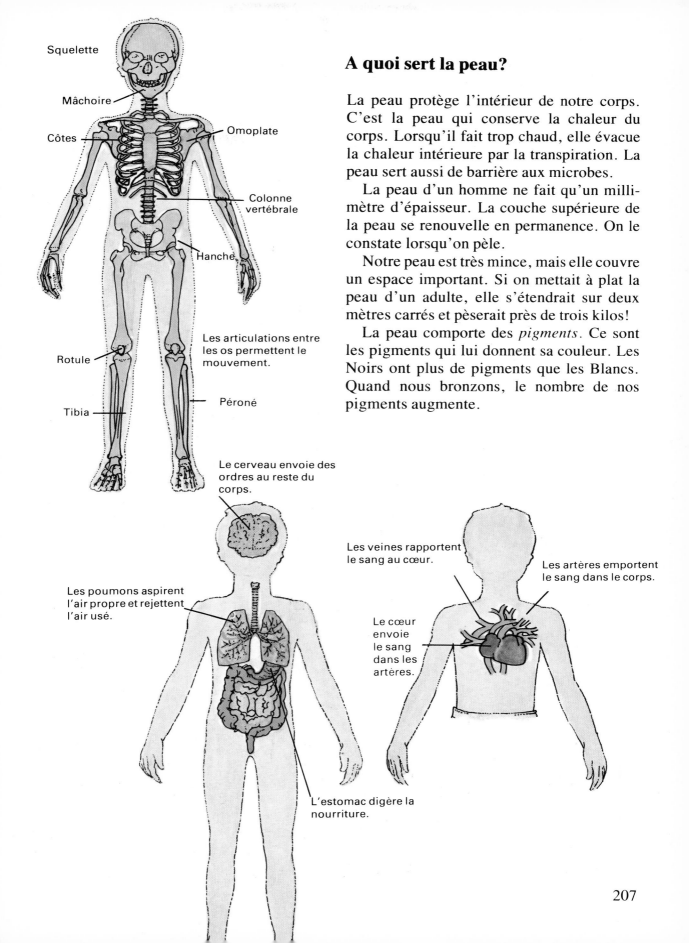

Squelette

Mâchoire

Côtes

Omoplate

Colonne vertébrale

Hanche

Les articulations entre les os permettent le mouvement.

Rotule

Péroné

Tibia

A quoi sert la peau?

La peau protège l'intérieur de notre corps. C'est la peau qui conserve la chaleur du corps. Lorsqu'il fait trop chaud, elle évacue la chaleur intérieure par la transpiration. La peau sert aussi de barrière aux microbes.

La peau d'un homme ne fait qu'un millimètre d'épaisseur. La couche supérieure de la peau se renouvelle en permanence. On le constate lorsqu'on pèle.

Notre peau est très mince, mais elle couvre un espace important. Si on mettait à plat la peau d'un adulte, elle s'étendrait sur deux mètres carrés et pèserait près de trois kilos!

La peau comporte des *pigments*. Ce sont les pigments qui lui donnent sa couleur. Les Noirs ont plus de pigments que les Blancs. Quand nous bronzons, le nombre de nos pigments augmente.

Le cerveau envoie des ordres au reste du corps.

Les veines rapportent le sang au cœur.

Les artères emportent le sang dans le corps.

Les poumons aspirent l'air propre et rejettent l'air usé.

Le cœur envoie le sang dans les artères.

L'estomac digère la nourriture.

La santé

Que fait un docteur quand il vous ausculte avec un stéthoscope?

Lorsqu'un médecin vous ausculte, il écoute les bruits intérieurs de votre corps. Il utilise alors un instrument qui s'appelle le *stéthoscope*. Il branche les écouteurs dans ses oreilles, et promène l'appareil sur votre poitrine.

Le stéthoscope ressemble un peu à un micro. Il amplifie le bruit produit par le cœur et les poumons. Le médecin vérifie ainsi que votre cœur bat bien et que votre respiration est normale.

Le médecin vous fait aussi tousser. Il écoute si vos poumons sont atteints. Ensuite, il sait quel médicament vous donner pour que vous guérissiez.

Le médecin utilise un stéthoscope pour s'assurer que les poumons et le cœur fonctionnent normalement.

A quoi servent les piqûres?

Quand quelqu'un est malade, le médecin lui donne des médicaments. Ce sont des pilules, des suppositoires ou des sirops. Ces médicaments agissent lentement. Il leur faut du temps pour pénétrer dans le corps.

La piqûre, par contre, envoie le médicament directement dans le sang ou dans le muscle. Le médicament agit très rapidement. On fait des piqûres pour empêcher une infection ou pour faire cesser une douleur. Certaines piqûres peuvent protéger les hommes : ce

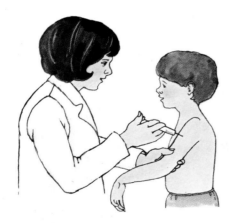

A gauche : une piqûre.

Ci-dessous : les malades sont couchés dans un dortoir d'hôpital. Les médecins et les infirmiers prennent soin d'eux.

Ci-dessus : dans une salle d'opération, tout doit être très propre. Les instruments sont stérilisés. Le chirurgien et ses assistants portent des blouses et des masques.

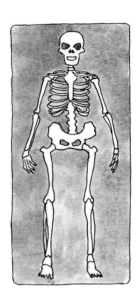

A droite : voici la photo d'un corps humain prise aux rayons X. Généralement, on ne photographie ainsi qu'une petite partie du corps.

Ci-dessous : lorsqu'on se casse une jambe, on marche avec des béquilles. Les personnes malades sont parfois transportées sur des chaises roulantes.

En bas : après un accident, on fait de la rééducation. Le corps doit réapprendre à fonctionner.

sont les *vaccins*. Le vaccin est une forme très douce de la maladie. Il apprend à notre corps comment réagir contre cette maladie.

Aujourd'hui, nous sommes vaccinés contre toutes les maladies graves : le tétanos, la typhoïde, la tuberculose ou la poliomyélite.

Comment marchent les rayons X?

Les rayons X permettent de voir ce qui se passe à l'intérieur du corps. Ils traversent la chair et les muscles. Les rayons X peuvent aussi impressionner une pellicule photographique. On a alors une photo de l'intérieur du corps.

Les médecins utilisent ces rayons pour observer les organes à l'intérieur de notre corps. Ils peuvent examiner soigneusement les os. Si vous avez le bras cassé, le rayon X montrera exactement où se trouve la fracture et si elle est grave. Certains organes sont moins visibles que les os. Il faut alors avaler un liquide chimique, qui colore ces organes. Une fois les organes colorés, ils sont bien visibles aux rayons X et sur les photos.

Le sport

Le karaté est-il un sport?

Le karaté a été inventé par les Japonais. On ne le pratiquait pas comme un sport, mais comme une méthode de combat. Quand on fait du karaté, on utilise presque toutes les parties du corps pour frapper l'adversaire : le genou, le coude, les pieds et la tête servent autant que les bras et les jambes.

Les personnes qui font du karaté s'entraînent à dominer parfaitement leur corps. Aujourd'hui, le karaté est un sport. Beaucoup de gens s'y entraînent pour le plaisir. Les coups dangereux ne sont pas autorisés.

Ci-dessus : le karaté est un sport de défense mais on le pratique aussi pour le plaisir.

Ci-dessous : les sports nautiques sont très populaires. La nage et la voile font partie des sports olympiques.

Kayak

Planche à voile

Voile

Plongeon

Natation

Ski nautique

Qu'est-ce que le Tour de France?

La bicyclette est un sport très populaire depuis 1870. Le Tour de France est la plus célèbre et la plus difficile des courses cyclistes. Il est né en 1903.

Les coureurs doivent couvrir une distance moyenne de 4 000 kilomètres en trois semaines environ. Cela demande une grande force physique, beaucoup d'entraînement et de volonté. D'autres pays ont suivi l'exemple de la France : l'Italie, le Canada et la Grande Bretagne organisent aussi des courses.

On peut faire des courses cyclistes en salle ou à l'extérieur. Le cyclisme est aujourd'hui un sport olympique.

On joue au football dans presque tous les pays du monde.

Y a-t-il beaucoup de jeux de ballon?

Il existe de nombreux jeux de ballons. Ces jeux se pratiquent généralement en équipe. Certains se jouent à l'intérieur, comme le basket-ball et le hand-ball. D'autres se jouent sur un stade, comme le football et le rugby.

Les Chinois jouaient déjà au ballon il y a 3 000 ans. Leur jeu s'appelait le *Tsu-Chu*. Il servait à entraîner les soldats.

Le football est un sport populaire dans le monde entier. Chaque année, on organise des compétitions nationales et internationales. La coupe du monde se joue tous les quatre ans.

Pour jouer au football, il faut deux équipes qui tentent d'envoyer le ballon dans le but adverse.

Le rugby et le football américain se jouent avec un ballon ovale. Ces deux sports sont très populaires aussi, mais ils sont beaucoup plus violents que le football. Les joueurs sont autorisés à bousculer leurs adversaires pour atteindre les buts.

Quand les premiers Jeux Olympiques ont-ils eu lieu?

Les premiers Jeux eurent sans doute lieu en 884 av. J.-C. à Olympie, en Grèce. C'est pour cette raison qu'on les a appelés Jeux Olympiques. Au temps des Grecs, ces jeux prenaient place lors de fêtes religieuses, en l'honneur du dieu Zeus. Ils réunissaient des champions venus de toutes les provinces. Des poètes et des musiciens participaient aussi à cette manifestation. Parmi les sports, on assistait au lancer du javelot et du disque, au saut en longueur, à la boxe, à la lutte et à la course de chars.

Course

Quels sont les sports olympiques?

Les premiers Jeux Olympiques modernes ne réunissaient que 12 pays. Il y avait à peine 300 athlètes.

En 1980, à Moscou, 80 pays y participaient avec près de 6 000 athlètes.

Les Jeux Olympiques se tiennent tous les 4 ans dans un pays différent. Ils comportent une vingtaine de sports. Aujourd'hui, l'aviron, l'escrime, le football et le hockey font partie des sports olympiques. Certains jeux se déroulent à l'intérieur, comme la gymnastique ou la natation. D'autres se pratiquent à l'extérieur, comme le lancer, la course ou le saut. Les Jeux Olympiques se déroulent en hiver et en été dans deux villes différentes. L'hiver, on assiste au concours de ski, de patinage et de hockey sur glace.

Bobsleigh

Basket-ball

212

Qu'est-ce qu'un palet?

Le palet est un disque de caoutchouc très résistant. On s'en sert pour jouer au hockey. Les joueurs utilisent leur crosse pour envoyer le palet dans le but adverse. Le hockey sur glace est un sport difficile et violent. Les joueurs doivent être de bons patineurs. Ils portent des combinaisons et des protections spéciales, pour amortir les chutes et les collisions avec les autres joueurs.

Boxe

Tennis

Quand a-t-on commencé à boxer?

Les hommes se sont toujours battus avec leurs poings. La boxe et la lutte sont des sports de combat qui étaient déjà pratiqués il y a 5 000 ans. On a découvert dans de vieux temples irakiens, des dessins représentant des boxeurs. Leurs poings étaient protégés par des bandes de cuir. Aujourd'hui, la boxe se pratique sur un ring. C'est un sport qui obéit à des règles très précises.

Hockey sur glace

But

Gardien de but

Crosse

Palet

Les rivières et les barrages

Pourquoi les rivières ont-elles des courbes?

Les rivières et les fleuves dessinent le relief : l'eau et le courant creusent peu à peu le sol. C'est ainsi que naissent les gorges et les vallées. Au début, la rivière creuse en profon-

Une rivière coule vite si le sol est en pente ou si son lit est étroit.

Quand le sol est plat, la rivière coule lentement, en faisant des méandres.

deur. Ses gorges ont la forme d'un V. Puis, les siècles passent, la vallée s'élargit. La rivière s'étale en largeur. Les rives sont de moins en moins hautes. L'eau de la rivière coule plus lentement, son *lit* s'élargit, elle use les berges et forme des courbes qu'on appelle des *méandres*.

Où se trouve la rive gauche d'une rivière?

Une rivière descend vers la mer. Sa rive gauche est la rive qui se situe sur votre gauche quand vous regardez vers la mer.

Qu'est-ce qu'une mer de glace?

Une grande partie de l'eau terrestre se trouve à l'état de glace. Une immense calotte glaciaire recouvre le pôle Sud et le pôle Nord. A certains endroits, l'épaisseur de cette glace atteint 2 500 mètres. Les pics et les aiguilles situés au sommet des montagnes sont recouverts de neiges éternelles. Ces neiges ne fondent jamais. De grandes mers de glace, qu'on appelle les *glaciers* envahissent les vallées les plus hautes. Ces glaciers descendent lentement. Ils sculptent peu à peu le relief des montagnes et des vallées. Beaucoup de nos vallées se sont formées sous des glaciers, il y a 20 000 ans. Cette époque est celle de la dernière ère glaciaire. La glace recouvrait alors presque entièrement l'Europe, l'Asie et l'Amérique du Nord. A la place de Paris et de Londres, il y avait des glaciers, qui pouvaient atteindre 1 000 mètres d'épaisseur.

Les glaciers sont des rivières de glace. Ils descendent très lentement.

Qu'est-ce qu'une île?

Une île est un morceau de terre entouré d'eau. Les plus grandes îles de notre planète sont le Groenland, la Nouvelle Guinée et Bornéo. On considère que l'Australie n'est pas une île, mais un continent. Les îles proches des côtes sont souvent des terres qui se sont détachées du continent. L'eau qui les entoure n'est pas très profonde.

Certaines îles, par contre, sont perdues au milieu de l'océan. Ces îles sont les sommets de volcans ensevelis sous l'eau. Dans les mers chaudes, on trouve aussi des îles de corail. Elles sont formées par des millions de petits coraux cimentés entre eux.

On trouve des îles près des côtes ou au milieu des océans. L'océan Pacifique contient près de 20 000 îles.

A quoi sert un barrage?

Les barrages servent à conserver l'eau ou à utiliser sa puissance. Lorsqu'on barre une rivière, un réservoir se forme. Ces réservoirs ressemblent à des lacs. Ils sont fermés par

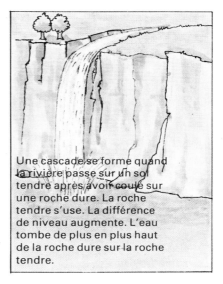

Une cascade se forme quand la rivière passe sur un sol tendre après avoir coulé sur une roche dure. La roche tendre s'use. La différence de niveau augmente. L'eau tombe de plus en plus haut de la roche dure sur la roche tendre.

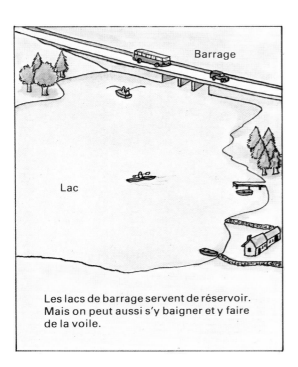

Les lacs de barrage servent de réservoir. Mais on peut aussi s'y baigner et y faire de la voile.

des murs de béton. L'eau des réservoirs est ensuite canalisée vers les villes.

Avant la découverte de l'électricité, l'eau des rivières était utilisée pour faire tourner les roues à aube des moulins. Aujourd'hui, l'eau qui passe un barrage est captée. Sa puissance sert à faire tourner des turbines. Les turbines génèrent le courant électrique que nous utilisons. L'électricité produite par l'eau s'appelle l'*hydroélectricité*. (On la nomme aussi la *houille blanche*.) C'est une source d'énergie très importante.

215

La terre
et l'eau

Que devient l'eau?

Le dessin ci-dessous montre le cheminement de l'eau.

L'eau de pluie, la glace et la neige fondues se rejoignent dans des ruisseaux, des rivières et des fleuves qui se jettent dans la mer.

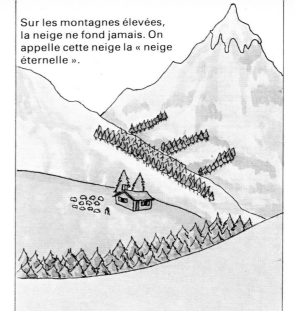

Sur les montagnes élevées, la neige ne fond jamais. On appelle cette neige la « neige éternelle ».

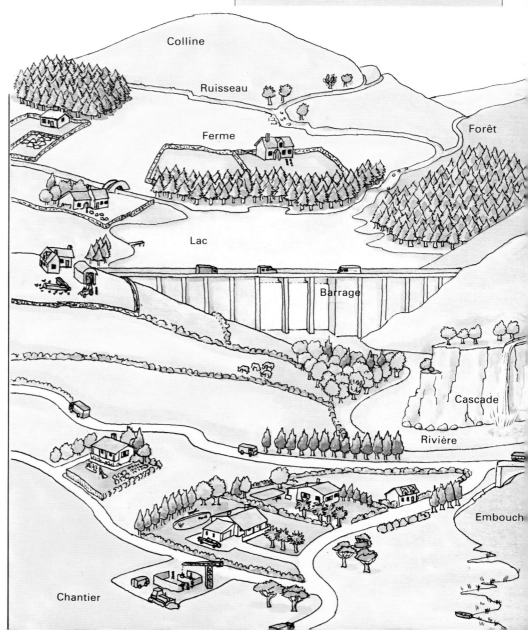

Colline

Ruisseau

Ferme

Forêt

Lac

Barrage

Cascade

Rivière

Embouch

Chantier

Qu'est-ce qu'un port?

Un port est une étendue d'eau abritée derrière des *jetées*. Les jetées sont d'épais murs de pierre ou de béton. Elles empêchent les vagues d'entrer. Les bateaux ancrés au port sont à l'abri des tempêtes.

217

D'un pays à un autre

Quelle est l'origine de la monnaie?

La monnaie existait dès 5000 avant J.C. sous forme de poids ou de cachets. Mais les véritables premières pièces apparurent en Asie Mineure, 700 ans avant J.C. Elles étaient faites d'un mélange d'or et d'argent.

Les gens utilisent des pièces de monnaie dans le monde entier. Mais les pièces sont différentes d'un pays à l'autre.

Les pièces représentées ci-dessous viennent toutes d'un pays différent. Pouvez-vous dire lesquels?

Quand a-t-on inventé le timbre-poste?

Le timbre-poste est né en Grande-Bretagne en 1840. Il portait l'effigie de la reine Victoria.

Le timbre-poste apparaît en France en 1849. Les premiers timbres émis sont noirs et valent vingt centimes. Ensuite viennent les vermillons à un franc.

Les premiers timbres n'avaient pas de dents. Pouvez-vous reconnaître ceux qui sont représentés ci-dessous?

218

LE CALENDRIER CHINOIS

Le rat

Le bœuf

Le tigre

Le lapin

Le dragon

Le serpent

Le cheval

Le mouton

Le singe

Le coq

Le chien

Le cochon

Où mange-t-on ces plats?

La nourriture quotidienne diffère selon les pays. Saurez-vous reconnaître d'où viennent ces quatre plats? Vous voyez ici un kebab turc, des spaghettis italiens, de la charcuterie allemande et un hamburger américain.

A quoi ressemble le calendrier chinois?

Le calendrier des Chinois groupe les années par série de douze. Chaque année reçoit le nom d'un des douze animaux représentés ici à gauche. Quand la douzième année, celle du cochon, se termine, l'année du rat revient.

Les êtres humains sont-ils très différents les uns des autres?

Les hommes appartiennent à des races différentes. Mais dans la même race, on trouve des types différents. On dit que les Scandinaves sont blonds et que les Italiens sont bruns. Comment sont les Français, à votre avis?

INDEX
PAR CENTRES D'INTÉRÊT

Pour faciliter les recherches, cet index donne par ordre alphabétique les différents thèmes abordés dans cet ouvrage sous différents aspects selon les chapitres. La liste des questions qui figure en début et en fin du livre, suit, en revanche, l'ordre d'apparition des sujets dans l'ouvrage.

UNIVERS

FAUNE

CONTINENTS ET PAYS

VIE QUOTIDIENNE

400 QUESTIONS • 400 RÉPONSES

400 QUESTIONS • 400 RÉPONSES

400 QUESTIONS • 400 RÉPONSES

400 QUESTIONS • 400 RÉPONSES

400 QUESTIONS • 400 RÉPONSES